R U Ready?

이광옥
조영주
임희경
유소월

빅데이터분석
R 유, 레디?

YD 연두에디션
Edition

저자 소개

이광옥 Lee Kwang Ok

E-mail : csskwang@chosun.ac.kr
조선대학교 전산통계학 이학박사
조선대학교 교육학과 교육학박사 수료
現) 조선대학교 SW중심대학사업단 학술연구교수

임희경 Lim Hee Kyoung

E-mail : powerlhk@chosun.ac.kr
조선대학교 전산통계학과 이학박사
現) 조선대학교 SW중심대학사업단 학술연구교수

조영주 Cho Young Ju

E-mail : csjyj@chosun.ac.kr
조선대학교 컴퓨터공학과 이학박사
現) 조선대학교 SW중심대학사업단 SW교육 연구교수

유소월 Yoo So Wol

E-mail : sowol@chosun.ac.kr
조선대학교 전산통계학 이학박사
現) 조선대학교 SW중심대학사업단 학술연구교수

데이터분석
R 유 레디

발행일 2022년 10월 15일 초판 1쇄
지은이 이광옥·조영주·임희경·유소월
펴낸이 심규남
기 획 염의섭·이정선
표 지 신현수 | **본 문** 이경은
펴낸곳 연두에디션
주 소 경기도 고양시 덕양구 삼원로 73 한일윈스타 지식산업센터 8층 809호
등 록 2015년 12월 15일 (제2015-000242호)
전 화 031-932-9896
팩 스 070-8220-5528
ISBN 979-11-92187-69-3
정 가 23,000원

이 책에 대한 의견이나 잘못된 내용에 대한 수정정보는 연두에디션 홈페이지나 이메일로 알려주십시오.
독자님의 의견을 충분히 반영하도록 늘 노력하겠습니다.
홈페이지 www.yundu.co.kr

※ 잘못된 도서는 구입처에서 바꾸어 드립니다.

PREFACE

4차 산업 혁명 시대에 핵심이 되는 관련 기술로는 인공지능, 3D 프린팅, 빅데이터, 텔레매틱스, 클라우드 컴퓨팅, 웨어러블, RFID, 자율주행차, 유비쿼터스 컴퓨팅, 사물인터넷 등이 있으며, 4차 사업 혁명의 본질은 가상과 현실의 융합이다.

4차 산업 시대에 있어서 소프트웨어는 국가의 경쟁력을 좌우하게 될 것이며, 선진국을 중심으로 코딩교육을 실시하고 있으며, 우리나라에서도 시대의 흐름에 따라 소프트웨어의 중요성을 인식하고 초등학교에서부터 정규 교과로 편성하여 교육을 하고 있다.

4차 산업 혁명 시대 관련 기술 중 하나인 빅데이터 관련 기술은 기존에는 오프라인 형태의 일부 데이터들을 활용한 반면 인터넷이 발달하면서 빅데이터를 활용한 기술이 기하급수적으로 증가하고 사회 전 분야에 걸쳐서 관심이 지속되고 있으며, 다양한 분야에 활용되고 있다.

빅데이터는 특정 분야가 아닌 인문, 사회, 경영, 경상, 공학, 자연과학, 의학, 치의학 분야 등 모든 분야에서 활용되고 있고, 수많은 데이터들 중에 의미 있는 정보를 추출해내는 핵심 기술로써 인식되고 있다.

이 책은 빅데이터를 처음 접하거나 초보자들을 위해 본문에서는 기본적인 내용들을 다루고 실습과정과 연습문제를 통해 분석 능력을 갖출 수 있도록 하였으며, 구성은 다음과 같다.

1장   R의 소개와 설치

2장   데이터

3장   함수와 패키지

4장   데이터 분석

5장   데이터 가공 및 분석

6장   데이터 정제

7장   그래프

8장   텍스트 마이닝

9장   Shapefile을 활용한 대한민국 지도 시각화

10장 대기오염 측정데이터 분석

11장 전국 일반음식점 표준데이터를 활용한 실전 분석

저자 일동

CONTENTS

PREFACE · · · · · · · · · · · · · · · · · · · iii

CHAPTER 1 **R의 소개와 설치** · · · · · · · · · 001

1.1 R이란 무엇인가? · · · · · · · · · · · · 003

1.2 R과 RStudio 설치 · · · · · · · · · · · · 003

 1.2.1 R 설치하기 · · · · · · · · · · · · · · 003

 1.2.2 RStudio 설치하기 · · · · · · · · · · 010

1.3 RStudio 실행하기 · · · · · · · · · · · · 015

1.4 기본 프로젝트 만들기 · · · · · · · · · · 016

1.5 RStudio 환경설정하기 · · · · · · · · · · 023

CHAPTER 2 **데이터** · · · · · · · · · · · · · · 027

2.1 데이터 종류 · · · · · · · · · · · · · · · 029

2.2 변수와 자료형 · · · · · · · · · · · · · · 029

 2.2.1 변수 · · · · · · · · · · · · · · · · · 029

 2.2.2 자료형 · · · · · · · · · · · · · · · · 030

 2.2.3 자료형 확인하기 · · · · · · · · · · · 031

2.3 입출력 · · · · · · · · · · · · · · · · · · 032

 2.3.1 입력 · · · · · · · · · · · · · · · · · 032

 2.3.2 출력 · · · · · · · · · · · · · · · · · 034

2.4 데이터프레임 · · · · · · · · · · · · · · · 035

■ EXERCISE · · · · · · · · · · · · · · · · · 037

CHAPTER 3 **함수와 패키지**   039

3.1 함수란 무엇인가?   041

3.2 기본함수   041
    3.2.1 c() 함수   041
    3.2.2 seq() 함수   042

3.3 수학 함수   046

3.4 문자 함수   050

3.5 비교 연산자   053

3.6 논리 연산자   054

3.7 조건문   055
    3.7.1 if ~ else 함수   055
    3.7.2 if ~ else if 함수   058
    3.7.3 ifelse() 함수   059
    3.7.4 switch() 함수   062

3.8 반복문   063
    3.8.1 for() 함수   063
    3.8.2 while() 함수   068

3.9 패키지   075

■ EXERCISE   077

CHAPTER 4 **데이터 분석**   081

4.1 데이터 파악하기   083

4.2 변수명 변경하기   092

4.3 파생변수 생성하기   094

■ EXERCISE   096

CHAPTER 5 **데이터 가공 및 분석** 099

5.1 데이터 추출하기 101

5.2 데이터 정렬하기 113

5.3 데이터 변형하기 118

5.4 데이터 요약하기 126

5.5 데이터 그룹화 하기 136

5.6 데이터 결합하기 141

■ EXERCISE 145

CHAPTER 6 **데이터 정제** 147

6.1 결측치 확인 149

    6.1.1 is.na() 함수 150

    6.1.2 table() 함수 151

    6.1.3 summary() 함수 153

    6.1.4 !is.na() 함수 155

    6.1.5 complete.cases() 함수 156

    6.1.6 na.omit() 함수 158

    6.1.7 filter() 함수 159

6.2 결측치 처리 163

    6.2.1 na.rm = T 함수 163

    6.2.2 결측치를 평균값으로 변경 167

6.3 이상치 확인 및 처리 171

■ EXERCISE 177

CHAPTER 7   **그래프**   179

7.1   qplot() 함수   181

7.2   hist() 함수   183

7.3   plot() 함수   184

7.4   pie() 함수   186

7.5   boxplot() 함수   187

7.6   ggplot2() 패키지   193

    7.6.1   geom_bar() 함수   193

    7.6.2   geom_point() 함수   197

    7.6.3   geom_line() 함수   202

    7.6.4   geom_boxplot() 함수   207

■ EXERCISE   210

CHAPTER 8   **텍스트 마이닝**   213

8.1   단어의 빈도 분석하기   215

    8.1.1   텍스트 전처리   215

    8.1.2   토큰화하기   221

    8.1.3   단어 빈도 분석하기   224

8.2   형태소 분석기를 이용한 단어 빈도 분석   233

    8.2.1   형태소 분석   233

    8.2.2   명사 빈도 분석하기   237

CHAPTER 9   **Shapefile을 활용한 대한민국 지도 시각화**   241

9.1   Shapefile을 활용한 대한민국 지도 시각화   243

    9.1.1   shapefile 불러오기   246

    9.1.2   shapefile을 데이터프레임으로 변환   252

    9.1.3   ggplot2 패키지로 지도 시각화   257

9.1.4 행정구역의 위치정보와 메타데이터 속성의 결합   258

9.2 **서울시 지도 시각화**   263

9.3 **서울시 초미세먼지 단계구분도**   267

9.3.1 서울시 초미세먼지 데이터 수집   268

9.3.2 초미세먼지 데이터와 시군구 데이터를 병합한 통합 데이터 생성   272

9.3.3 서울시 초미세먼지 단계구분도   276

9.3.4 서울시 초미세먼지 인터렉티브 단계구분도   279

CHAPTER 10   **대기오염 측정데이터 분석**

283

CHAPTER 11   **전국 일반음식점 표준데이터를 활용한 실전 분석**

295

11.1 **전국일반음식점표준데이터 준비**   297

11.2 **전국일반음식점표준데이터 파악**   299

11.3 **전국일반음식점표준데이터 전처리**   302

11.4 **전국일반음식점표준데이터 분석**   310

11.4.1 전국일반음식점표준데이터 전국 통계   310

11.4.2 전국일반음식점표준데이터 서울특별시 통계   317

INDEX   327

R BigData Analysis

## CHAPTER 1

R의 소개와 설치

R BigData Analysis

C O N T E N T S

1.1   R이란 무엇인가?

1.2   R과 RStudio 설치

1.3   RStudio 실행하기

1.4   기본 프로젝트 만들기

1.5   RStudio 환경설정하기

R프로그램은 데이터프레임을 직접 작성하거나 패키지를 설치하면 기본적으로 제공해주는 데이터나 공공 데이터를 이용해 함수를 사용한 분석, 데이터 분석, 데이터 가공 및 분석, 데이터 정제, 시각화 작업 등을 할 수 있다.

▸▸ 1.1   R이란 무엇인가?

R프로그램은 1993년 오클랜드 대학교에서 개발된 통계 및 그래프 작업을 위한 줄 단위 번역 방식인 인터프리터 프로그래밍 언어이며, 초보자가 사용하기에 편리하고, 오픈소스를 제공해주기 때문에 무료로 사용할 수 있으며, 수많은 패키지를 통해 기능을 추가해서 분석을 가능하게 해주며 시각화 등의 작업을 할 수 있다.

▸▸ 1.2   R과 RStudio 설치

1.2.1   R 설치하기

1 R을 설치하기 위해 주소 입력란에 https://www.r-project.org 작성하고 접속한 후 왼쪽 위 [Download]에서 [CRAN]을 클릭한다.

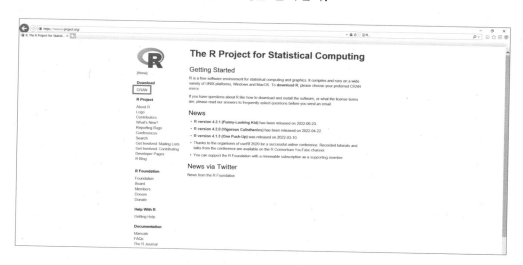

2 왼쪽 아래로 내려가면 "Korea" 이름을 찾을 수 있다. R을 다운로드할 수 있는 5개의 주소 중에서 원하는 링크를 클릭한다.

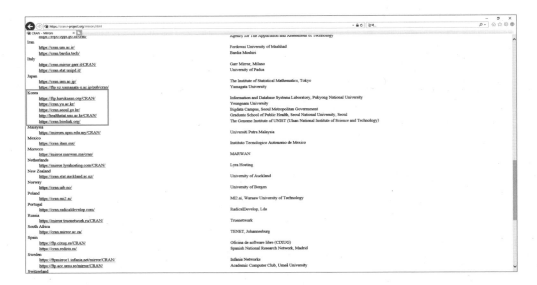

3 Download and Install R에서 3가지의 운영체제에 따른 설치 링크가 있다. 우리는 windows 환경에서 사용할 예정이므로 [Download R for Windows]를 클릭한다.

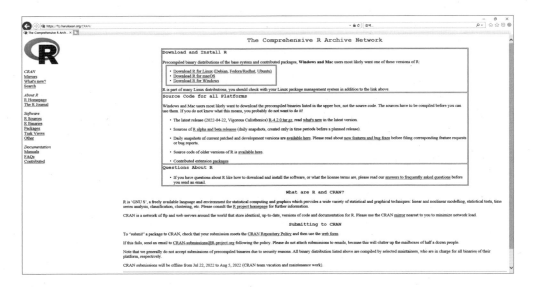

4 [Subdirectories] 아래에 있는 [base]를 클릭한다.

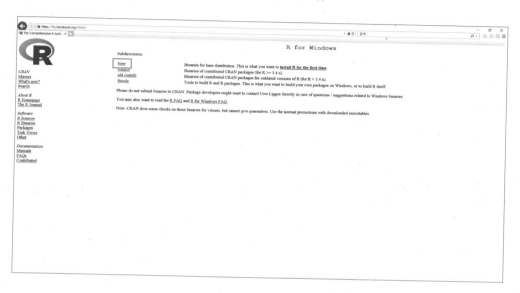

5 Download R-4.2.0 for windows(79 megabytes, 64bit)를 클릭한다. R-4.2.0은 현재 버전을 의미하며 추후 높은 버전으로 업그레이드 될 것이다. 79 megabytes 는 설치될 용량, 64bit는 사용자의 운영체제 시스템 종류를 의미한다.

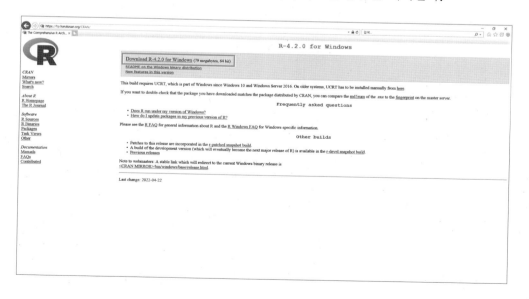

6 다운로드를 클릭한 후 R 실행버튼을 누르면(internet explorer 기준이며, Edge나 chrome 사용자는 다운로드 한 후 설치 프로그램을 실행하면 된다) "R-4.2.8-win.exe의 게시자를 확인할 수 없습니다. 프로그램을 실행하시겠습니까?" 창이 뜨는데, 다시 실행버튼을 누르면 된다.

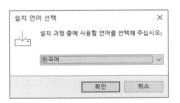

7 실행을 누르고 나면 [설치 언어 선택] 창이 뜨는데 한국어 선택하고 확인을 누른다(한국어가 기본 언어이기 때문에 바로 확인을 누르면 된다).

8 설치관련 [정보] 창이 뜨는데 다음을 누르면 된다.

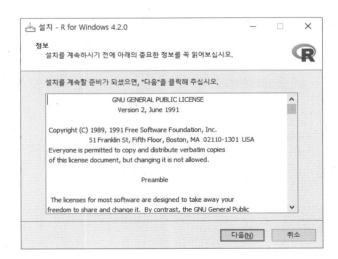

9 R프로그램을 [설치할 위치 선택] 창이 뜨는데 다음을 누르면 된다.

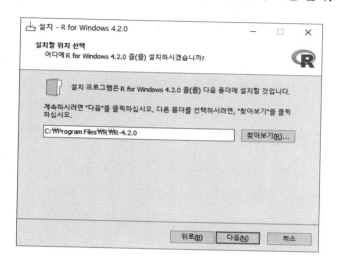

10 [구성 요소 설치] 창이 뜨면 다음을 누르면 된다.

11 [스타트업 옵션] 창이 뜨면 다음을 누르면 된다.

```
┌──────────────────────────────────────────────────────┐
│ 설치 - R for Windows 4.2.0              ─    □    ×    │
│                                                        │
│  스타트업 옵션                                   ®R    │
│     스타트업 옵션을 조정하길 원하시나요?               │
│ ──────────────────────────────────────────────────── │
│  yes 혹은 no 를 선택하신 뒤에 Next 를 눌러주세요       │
│      ○ Yes (스타트업 조정)                             │
│      ◉ No (기본값 사용)                                │
│                                                        │
│                                                        │
│                                                        │
│                          뒤로(B)   다음(N)    취소     │
└──────────────────────────────────────────────────────┘
```

12 [시작 메뉴 폴더 선택] 창이 뜨면 다음을 누르면 된다.

```
┌──────────────────────────────────────────────────────┐
│ 설치 - R for Windows 4.2.0              ─    □    ×    │
│                                                        │
│  시작 메뉴 폴더 선택                             ®R    │
│     어느 곳에 프로그램의 바로 가기를 만드시겠습니까?   │
│ ──────────────────────────────────────────────────── │
│  ▣▤  설치 프로그램은 프로그램의 바로 가기를 다음 시작  │
│  ▣▤  메뉴 폴더에 만들 것입니다.                        │
│                                                        │
│  계속하시려면 "다음"을 클릭하십시오. 다른 폴더를 선택  │
│  하시려면 "찾아보기"를 클릭하십시오.                   │
│  [R                              ]   찾아보기(R)...    │
│                                                        │
│                                                        │
│                                                        │
│  □ 시작 메뉴 폴더를 만들지 않음(D)                     │
│                          뒤로(B)   다음(N)    취소     │
└──────────────────────────────────────────────────────┘
```

⓭ [추가 사항 적용] 창에서는 아이콘 생성할 것인지 물어보는데 바탕화면에 아이콘
을 생성하지 않으려면 체크를 해제한 후 다음을 누르면 되며 편의상 화면대로 다
음을 누르면 된다.

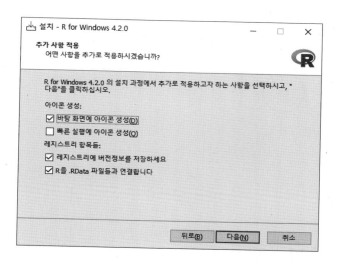

⓮ 다음 창은 R 설치되는 과정을 보여주고 있다.

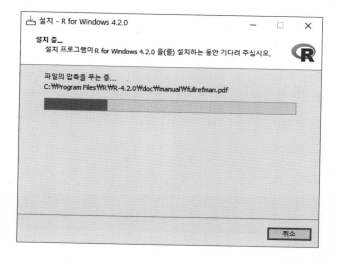

15 프로그램이 전부 설치되면 [설치 완료] 창이 뜨는데 완료 버튼을 누르면 된다.

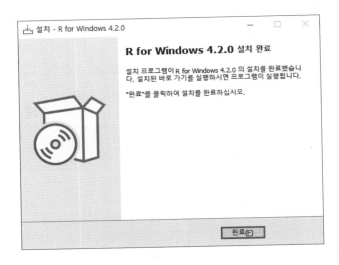

1.2.2 RStudio 설치하기

RStudio는 R프로그래밍을 편리하게 사용하기 위해 제공된 오픈 소스 통합 개발환경 (IDE) 프로그램이며 편리한 사용 환경으로 제공되는 패키지 설치와 빠르고 효율적인 분석을 할 수 있다.

1 RStudio를 설치하기 위해 주소 입력란에 https://www.rstudio.com 작성하고 접속한 후 [Products]에 마우스를 올리고 있으면 여러 가지 메뉴들이 나타나는데 [RStudio]를 클릭한다.

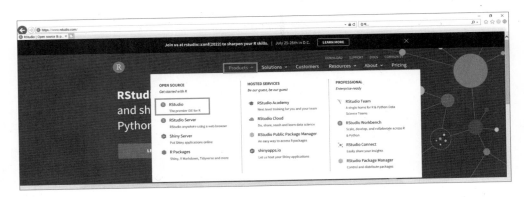

2 아래로 조금 내려가면 [RStudio Desktop]을 클릭한다.

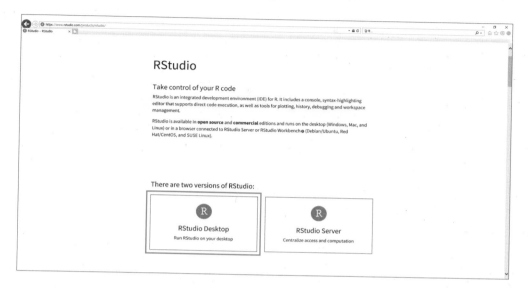

3 [Open Source Edition] 아래에 있는 [DOWNLOAD RSTUDIO DESKTOP]을 클릭한다.

4 [RStudio Desktop] 아래 [DOWNLOAD]를 클릭한다.

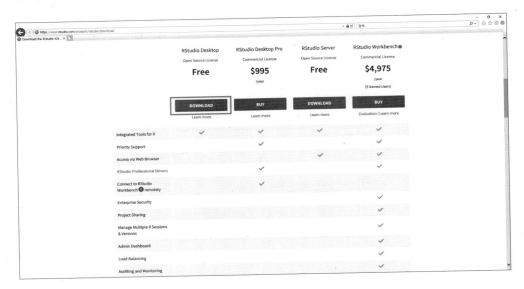

5 [DOWNLOAD RSTUDIO FOR WINDOWS]를 클릭한다.

6 실행 버튼을 누른다.

7 RStudio 설치 시작 화면이 나오면 다음 버튼을 누른다.

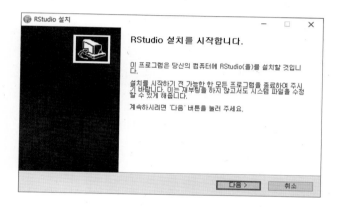

8 RStudio 프로그램을 [설치 위치 선택] 창이 뜨는데 다음을 누르면 된다.

9 [시작 메뉴 폴더 선택] 창이 뜨면 다음을 누르면 된다.

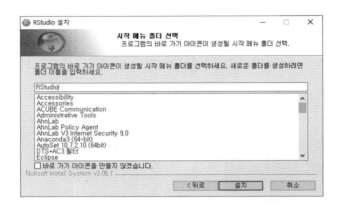

10 다음 창은 RStudio 설치되는 과정을 보여주고 있다.

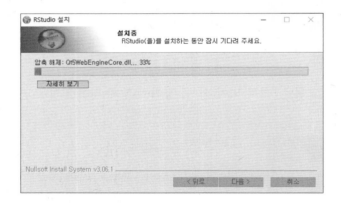

11 프로그램이 전부 설치되면 완료창이 뜨는데 마침 버튼을 누르면 된다.

▶▶ 1.3   RStudio 실행하기

시작 버튼을 누르고 설치된 프로그램에서 아래 그림
을 찾은 뒤 RStduio 아이콘에서 [마우스 오른쪽] →
[자세히] → [관리자 모드]로 실행을 한다.

RStudio를 실행하면 아래와 같은 화면을 만날 수 있
다. 화면을 보면 전부 4개로 구성되어 있는데 구성은 다음과 같다(빅데이터 분석에
필요한 구성 탭에 대해서만 설명).

RStudio 화면 구성

왼쪽 위 Untitled1	• 스크립트 창 : 프로그램을 입력하는 창으로 RStudio를 처음 실행하거나 새로 추가하면 Untitled1, 2, …로 추가 된다.
왼쪽 아래	• 콘솔 창 : 프로그램을 입력하거나 실행 결과를 보여 준다.
오른쪽 위	• Environment : 변수나 데이터프레임을 생성할 때 목록을 보여 준다. • History : 프로그램 실행과정을 기록 한다.
오른쪽 아래	• Files : 파일 목록을 보여 준다. • Plots : 시각화된 그래프를 보여 준다. • Packages : 패키지 목록들을 보여 준다.

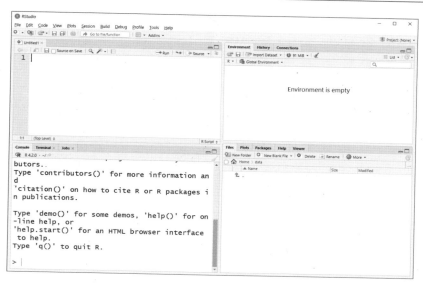

▸▸ 1.4   기본 프로젝트 만들기

RStudio 실행을 하면 4개의 화면으로 구성되어져 있는데, 빅데이터 분석을 위해서는 모든 화면을 하나의 공간으로 작업을 해야 한다. 이 작업을 프로젝트로 묶어준다고 할 수 있다. 기본 프로젝트를 만들기 위해 [문서] 아래에 새 폴더 [data]를 만든 후에 "basic"이라는 이름의 프로젝트를 만들어 보자.

1 화면 오른쪽 위를 보면 [Project: (None)]이라고 되어 있는 곳을 클릭한다.

2 [New Project...]을 클릭한다.

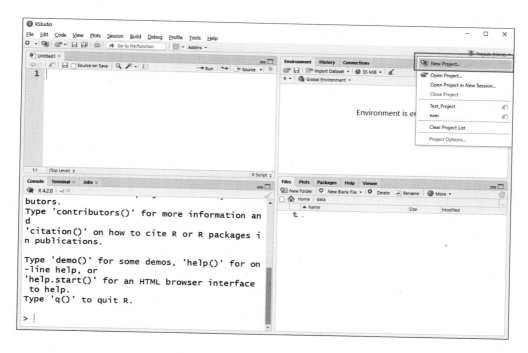

3 [New Directory]를 클릭한다.

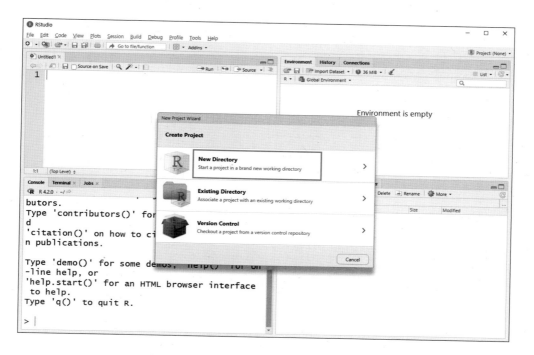

4 [New Project]를 클릭한다.

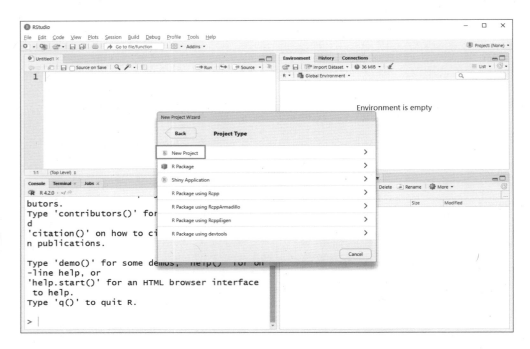

5 [Browse...]을 클릭한다.

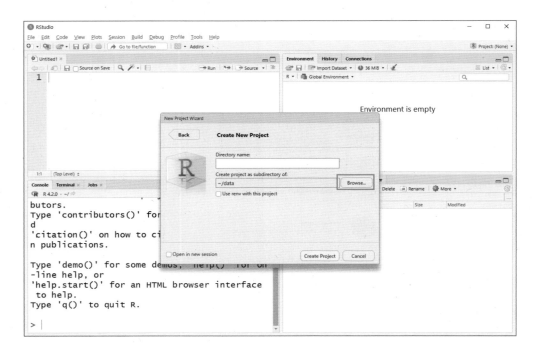

6 [내 PC] → [문서] → [data]를 클릭한 후 그림 아래 [폴더]가 "data"로 변경되었는지 확인하고 [Open]을 클릭한다.

7 [Directory name]에 "basic"이라고 입력한 후 [Create Project]를 클릭한다.

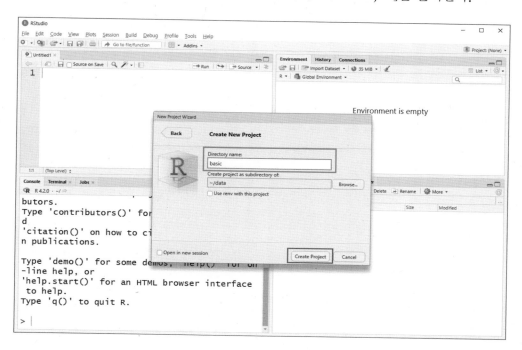

잠시 화면이 깜박한 후에 다음과 같이 기본 프로젝트가 만들어진 것을 확인할 수 있다. 하지만 프로젝트는 4개의 화면으로 구성이 되어 있는데 3개의 화면만 나타난 것

을 볼 수 있다. 처음 프로젝트를 만들면 스크립트 창이 나타나지 않는다. 이제 스크립트 창을 추가하기 위해 콘솔창 오른쪽 위를 클릭하면 나타나는 것을 확인할 수 있다.

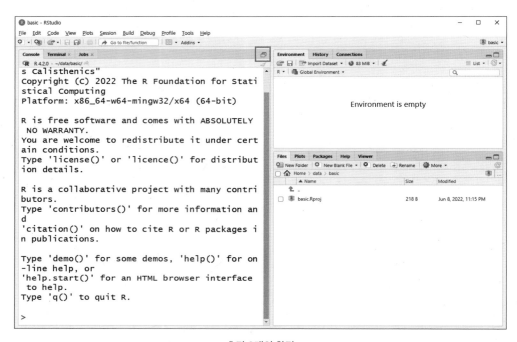

초기 3개의 화면

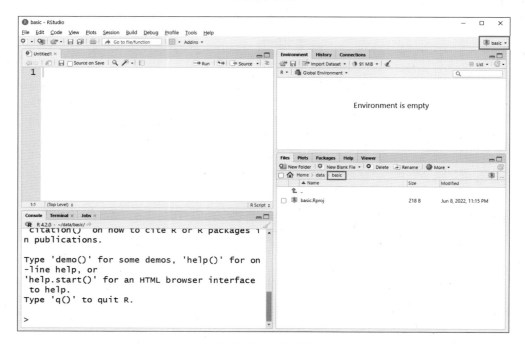

추가된 후에 4개의 화면

이제 우리는 빅데이터 분석을 시작하기 위한 기본 프로젝트를 만들었다. 여기서 우리가 반드시 기억해야할 것은 4개의 화면을 하나의 프로젝트로 만들었기 때문에 RStudio를 다시 실행한 후에 화면 오른쪽 프로젝트 이름 "basic"과 오른쪽 아래 [Files] 탭의 [basic] 폴더가 반드시 일치하는지 확인 후 분석을 해야 한다.

기본 프로젝트:를 완성한 후에 화면을 보니 아직 해결되지 않는 부분이 있다. 왼쪽 위에 있는 스크립트 파일이 "Untitled1"이라는 이름으로 그대로 있다. 따라서 🖫를 클릭한 후 내 PC → [문서] → [data] → [basic] 폴더를 확인한 후에 파일 이름에 "test"라고 입력하고 Save 버튼을 클릭한다.

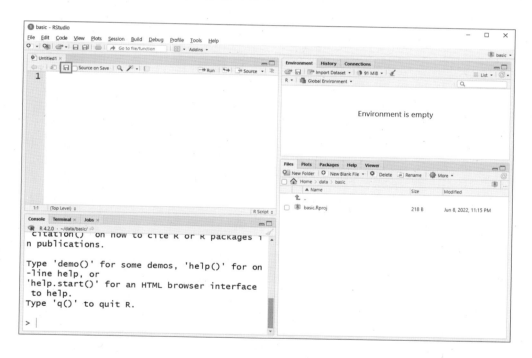

다음 그림은 완성된 기본 프로젝트를 보여주고 있다.

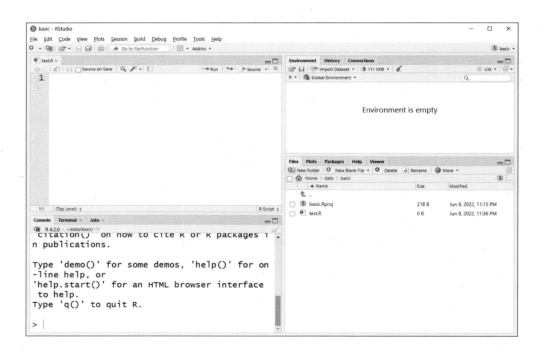

▸▸ 1.5   RStudio 환경설정하기

기본 프로젝트를 만든 후에 RStudio를 사용하기 위해 몇 가지 알아둬야 할 환경 설정을 위해 [Tools] → [Global Options...]을 클릭하면 다음과 같은 창을 확인할 수 있다.

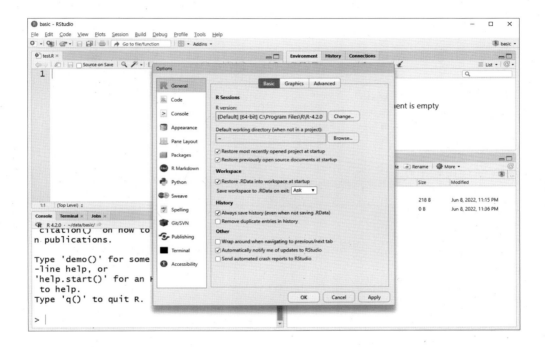

1 스크립트 창에서 프로그램 한 문장이 길어서 화면 오른쪽으로 넘어가는 경우 다음 라인으로 넘기고자 할 때 왼쪽 목록에서 [Code]를 선택한 후에 [Soft-wrap R source files]를 체크해준다.

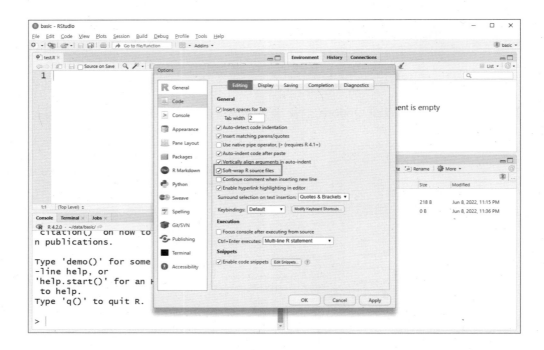

2 글꼴이나 글자크기 등 설정은 왼쪽 목록에서 [Appearance]를 선택한 후에 변경하면 된다.

3 4개의 화면 구성 위치를 변경하거나 메뉴 탭을 추가하고자 하는 경우에는 왼쪽 목록에서 [Pane Layout]을 선택한 후에 설정하면 된다.

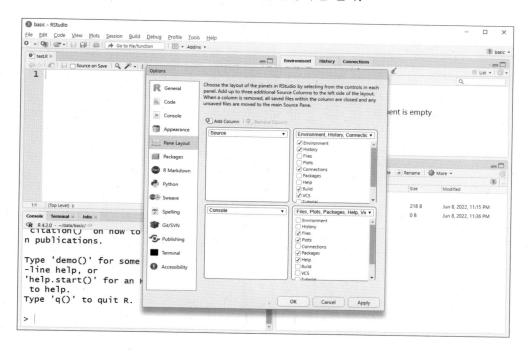

CHAPTER **2**

데이터

R BigData Analysis

C O N T E N T S

2.1 데이터 종류

2.2 변수와 자료형

2.3 입출력

2.4 데이터프레임

2.1 데이터 종류

데이터 종류에는 정형 데이터, 비정형 데이터, 반정형 데이터가 있다. 우리는 빅데이터 분석을 위해 정형 데이터에 해당하는 수치화된 데이터, 엑셀 데이터, 쉼표로 구분된 csv 형식 데이터, DB 형태의 데이터를 사용한다.

2.2 변수와 자료형

2.2.1 변수

변수란 데이터를 저장하는 역할을 하며, 변하는 수로 이해하면 편할 것이다. 예를 들어 var 이라는 변수에 3이라는 값을 저장한 후에 다시 5라는 값을 다시 저장하게 되면 기존의 3이라는 값이 5로 변하게 된다. 또한 변수명을 사용할 때는 규칙이 있는데 다음과 같다.

① 첫 글자는 반드시 영문자여야 한다.
② 대소문자를 구분한다.
③ 변수명에는 공백을 사용할 수 없다.
④ 예약어(R프로그램에서는 정해진 if, for 등)는 사용할 수 없다.

대소문자를 구분하는 프로그램들이 어렵다고 할 수 있는데 그 이유는 l(영문자 엘)이 숫자 1, I(영문자 아이)로 보일 수도 있고, o(영문자 오)는 숫자 0으로 보일 수도 있기 때문에 오타 오류가 가장 많이 발생할 수 있다.

실습하기 변수 사용 예

```
> var1 <- 1        ①
> Var2 <- 3        ②
> var 3 <- 5       ③
> if <- 7          ④
```

① 첫 글자 영문자 사용(O)
② 첫 글자 대문자를 사용(O)
③ 공백(X)
④ 예약어를 사용(X)

다음은 변수명을 사용할 때 알아두면 편리한 규칙들이 있다.

① 의미가 있는 단어를 사용한다(예 : 평균 – avg, 이름 – name).
② 두 단어를 포함한 변수명을 under bar(_)를 사용한다(예 : kor_seoul, kor_sejong).

2.2.2 자료형

R 프로그램에서는 어떠한 형태의 데이터를 입력하느냐에 따라서 변수의 자료형이 결정되며 다음은 기본 자료형을 나타내고 있다.

유형	값	예
숫자형	정수, 실수	123, 123.4567
문자형	문자, 문자열	"홍", "세종대왕"
논리형	참, 거짓	TRUE, FALSE
결측 데이터	결측치	NA(Not Available)

```
> int1 <- 10
> int1
[1] 10

> int2 <- 12.34
> int2
[1] 12.34

> str1 <- "홍"
> str1
[1] "홍"

> str2 <- "세종대왕"
> str2
[1] "세종대왕"

> bool <- TRUE
> bool
[1] TRUE

> na <- NA
> na
[1] NA
```

① [1] 숫자의 의미는 변수에 저장되어 있는 값들 중 해당하는 줄의 첫 번째 데이터의 위치
② TRUE, NA는 대문자

2.2.3 자료형 확인하기

자료형을 확인하기 위해서는 mode()나 class() 함수를 사용하면 되는데 이전 실습하기에서 만든 변수들을 이용해 mode() 함수 실습을 해보자.

```
> mode(int1)
[1] "numeric"

> mode(int2)
[1] "numeric"

> mode(str1)
[1] "character"

> mode(str2)
[1] "character"

> mode(bool)
[1] "logical"

> mode(na)
[1] "logical"
```

① mode() 함수를 사용하면 변수에 저장되어 있는 자료형을 확인할 수 있는데 정수와 실수는 numeric, 문자나 문자열은 character, 논리형이나 결측치 데이터는 logical로 출력된다.

2.3 입출력

2.3.1 입력

데이터 입력하는 방법은 대표적으로 변수명으로 생성하는 경우와 데이터프레임으로 생성할 수가 있다.

첫 번째, scan() 함수를 이용해서 키보드로 입력한 값을 변수에 저장할 수 있다.

실습하기 변수로 입력받기

```
> number <- scan()
1: 10
2: 20
3: 30
4: 40
5:
Read 4 items

> number
[1] 10 20 30 40

> sum(number)
[1] 100

> mean(number)
[1] 25
```

① 더 이상 입력할 데이터가 없을 경우에는 그냥 엔터키를 누르면 된다.

두 번째, read.csv() 함수를 이용해서 csv 파일을 데이터프레임으로 입력받아서 저장할 수 있다.

실습하기 데이터프레임으로 입력받기

```
> df2_1 <- read.csv("prac2_1.csv")
> head(df2_1)
```

	date	avg_temp	low_temp	high_temp
1	2022-05-01	13.4	7.9	19.2
2	2022-05-01	14.2	9.1	19.4
3	2022-05-01	14.8	9.1	20.8
4	2022-05-01	17.8	10.0	25.2
5	2022-05-01	18.9	12.5	25.8
6	2022-05-01	19.6	13.7	25.6

① prac2.csv 파일을 read.csv() 함수를 이용하여 df2_1 데이터프레임으로 저장한 다음 head() 함수를 이용해서 데이터를 확인할 수 있다.
② head() 함수는 데이터 앞부분 6개를 확인할 때 사용하는 함수이며, 자세한 내용은 4장에서 다시 설명하기로 한다.

2.3.2 출력

데이터 출력하는 방법은 대표적으로 cat()과 print() 함수가 있다.

첫 번째, print() 함수는 변수나 수식의 결과를 출력한다.

실습하기 print() 함수 사용

```
> a <- 10
> b <- 20
> print(a)
[1] 10

> print(b)
[1] 20

> print(a + b)
[1] 30
```

두 번째, cat() 함수는 문자열이나 변수를 같이 콘솔 창에 출력을 해준다.

실습하기 cat() 함수 사용

```
> c <- 30
> d <- 40
> e <- c + d
> cat("a + b 의 값은", e, "이다.")
a + b 의 값은 70 이다.
```

▸▸ 2.4 / 데이터프레임

데이터프레임이란 표 형태의 데이터를 의미하고, 데이터와 변수명을 입력받아 data.frame() 함수를 이용해서 만들 수 있으며, 사용법은 다음과 같다.

데이터프레임이름 <- data.frame(변수명1, 변수명2, …, 변수명n)
데이터프레임이름 <- data.frame(변수명1 = c(데이터1, 데이터2, …, 데이터n), 변수명2 = c(데이터1, 데이터2, …, 데이터n), …, 변수명n = c(데이터1, 데이터2, …, 데이터n))
데이터프레임이름 <- read.csv("파일명")

첫 번째, 각각의 변수를 생성한 후, 생성한 변수들을 이용해서 만들 수 있다.

실습하기 변수를 이용한 데이터프레임 생성

```
> name <- c(단군왕검", "주몽", "대조영", "왕건", "이성계")
> kor <- c(98, 89, 100, 78, 69)
> math <- c(88, 96, 99, 88, 100)
> eng <- c(78, 88, 68, 88, 99)
> df2_2 <- data.frame(name, kor, math, eng)
> df2_2

        name    kor    math    eng
1      단군왕검    98      88     78
2       주몽     89      96     88
3      대조영    100      99     68
4       왕건     78      88     88
5      이성계     69     100     99
```

① c() 함수는 기본적으로 불연속 데이터를 생성할 때 사용하며 자세한 설명은 3장에서 하도록 한다.

두 번째, 변수와 데이터를 이용해서 만들 수 있다.

실습하기 변수와 데이터를 이용한 데이터프레임 생성

```
> df2_3 <- data.frame(name = c("단군왕검", "주몽", "대조영", "왕건", "이성계"),
+                     kor = c(98, 89, 100, 78, 69),
+                     math = c(88, 96, 99, 88, 100),
+                     eng = c(78, 88, 68, 88, 99))
> df2_3
    name      kor    math    eng
1   단군왕검   98     88      78
2   주몽       89     96      88
3   대조영     100    99      68
4   왕건       78     88      88
5   이성계     69     100     99
```

세 번째, read.csv() 함수를 이용해서 만들 수 있다.

실습하기 read.csv() 함수를 이용한 데이터프레임 생성

```
> df2_4 <- read.csv("prac2_2.csv")
> df2_4
    name      kor    math    eng
1   단군왕검   98     88      78
2   주몽       89     96      88
3   대조영     100    99      68
4   왕건       78     88      88
5   이성계     69     100     99
```

1. 변수명 사용 규칙에 대해서 설명하시오.

2. 결측치 데이터는 (   )로 나타낸다.

3. 자료형을 확인할 때 사용하는 함수는 (   ) , (   )가 있다.

4. 데이터를 입력받을 때 변수명을 사용하는 함수는 (   ) 이다.

5. csv 파일을 데이터프레임으로 입력받을 때 사용하는 함수는 (   ) 이다.

6. 변수나 수식을 콘솔창에 출력을 해주는 함수는 (   ) 이다.

7. 문자열이나 변수를 같이 콘솔창에 출력해주는 함수는 (   ) 이다.

8. 데이터프레임을 생성하는 3가지 방법을 작성하시오.

CHAPTER **3**

함수와 패키지

R BigData Analysis

CONTENTS

3.1 함수란 무엇인가?

3.2 기본함수

3.3 수학 함수

3.4 문자 함수

3.5 비교 연산자

3.6 논리 연산자

3.7 조건문

3.8 반복문

3.9 패키지

▸▸ 3.1   함수란 무엇인가?

함수란 사전적 의미로 프로그램 소스코드에서 일정한 동작을 수행하는 코드를 말한다. 다시 말해서 데이터를 입력받아서 일정한 동작을 수행한다는 의미이다. 예를 들어, 커피 자판기는 원료를 넣으면 일정한 동작을 수행한 후 커피가 만들어진다. 요리 도구도 마찬가지로 재료를 넣으면 음식이 만들어지고, 사람도 데이터를 입력하면 뇌가 어떠한 기능을 수행한 후 결과물을 만들어낸다. 이처럼 우리 주위에서는 함수와 같은 역할을 하는 경우를 많이 볼 수 있다.

▸▸ 3.2   기본함수

3.2.1 c() 함수

c() 함수는 변수에 불연속데이터나 연속데이터를 입력하고자 할 때 사용하며, 형식은 다음과 같다.

```
c(데이터1, 데이터2, …, 데이터n)
c(시작값:끝값)
```

① 데이터는 숫자나 문자를 의미하며, :(콜론)은 연속데이터를 표현할 때 사용한다.

실습하기 c() 함수를 이용한 변수 생성

```
> a <- c(1, 3, 5, 7)  ①
> a
[1] 1 3 5 7

> b <- c(2, 4, 6, 9)  ②
> b
[1] 2 4 6 8

> c <- c(1:5)  ③
> c
[1] 1 2 3 4 5

> d <- c("단군왕검", "주몽", "왕건", "이성계")  ④
> d
[1] "단군왕검" "주몽" "왕건" "이성계"
```

① a 변수에 1, 3, 5, 7 값을 대입한다.
② b 변수에 2, 4, 6, 8 값을 대입한다.
③ c 변수에 :(콜론)을 이용하여 연속데이터를 대입한다.
④ d 변수에 문자나 문자열들을 대입하고자할 때에는 반드시 ' '(따옴표)나 " "(쌍 따옴표)로 묶어줘야 한다.

3.2.2 seq() 함수

seq() 함수는 연속데이터를 생성할 때 증감 값을 사용할 수 있는데 형식은 다음과 같다.

```
seq(시작 값, 끝 값, by = 증감 값)
```

실습하기 seq() 함수 증가 값 사용하기

```
> a <- seq(1, 10)   ①
> a
[1] 1 2 3 4 5 6 7 8 9 10

> b <- seq(1, 10, by = 2)   ②
> b
[1] 1 3 5 7 9

> c <- seq(0, 10, by = 2)   ③
> c
[1] 0 2 4 6 8 10

> d <- seq(2, 10, by = 2)   ④
> d
[1] 2 4 6 8 10
```

① a 변수에 1부터 10까지 연속적인 숫자 1부터 10까지 대입한 후 출력한다.

② b 변수에 1부터 10까지 연속적인 숫자들 중에 by 파라미터를 이용하여 2씩 증가시켜 대입한 후 1, 3, 5, 7, 9 값들을 출력한다.

③ c 변수에 0부터 10까지 by 파라미터를 이용하여 2씩 증가시켜 대입한 후 0, 2, 4, 6, 8, 10을 출력한다.

④ d 변수에 1부터 10까지 짝수 값을 출력하고자할 때에는 시작 값을 2로 입력하고 by 파리미터를 이용하여 2씩 증가시켜 대입한 후 출력하여야 한다.

실습하기   seq() 함수를 이용해 구구단 만들기

gugu 변수에 1부터 9까지 값을 대입한 후 gugu2 ~ gugu9 변수들을 만들고 실행하시오.

```
> gugu <- seq(1, 9)              ①
> gugu
[1] 1 2 3 4 5 6 7 8 9

> gugu2 <- gugu * 2              ②
> gugu2
[1] 2 4 6 8 10 12 14 16 18

> gugu3 <- gugu * 3              ②
> gugu3
[1] 3 6 9 12 15 18 21 24 27

> gugu4 <- gugu * 4              ②
> gugu4
[1] 4 8 12 16 20 24 28 32 36

> gugu5 <- gugu * 5              ②
> gugu5
[1] 5 10 15 20 25 30 35 40 45

> gugu6 <- gugu * 6              ②
> gugu6
[1] 6 12 18 24 30 36 42 48 54

> gugu7 <- gugu * 7              ②
> gugu7
[1] 7 14 21 28 35 42 49 56 63

> gugu8 <- gugu * 8              ②
> gugu8
[1] 8 16 24 32 40 48 56 64 72
```

```
> gugu9 <- gugu * 9                    ②
> gugu9
[1] 9 18 27 36 45 54 63 72 81
```

① gugu 변수에 seq() 함수를 이용하여 순차적으로 1부터 9까지 값을 대입한다.
② gugu 변수를 이용하여 2단부터 9단까지 구구단을 만들 수 있다.

실습하기   seq() 함수를 감소 값 사용하기 1

10부터 1까지 역순으로 만들고 실행하시오.

```
> a <- seq(10, 1, by = -1)            ①
> a                                   ②
[1] 10 9 8 7 6 5 4 3 2 1
```

① a 변수는 1부터 10까지 역순으로 출력하고자할 경우에는 시작 값을 10, 끝 값을 1, by 파라미터 값을 -1 입력한다.
② a 변수를 출력한다.

실습하기   seq() 함수를 감소 값 사용하기 2

100부터 1까지 7의 배수를 역순으로 만들고 실행하시오.

```
> b <- seq(100, 1, by = -7)           ①
> b
[1] 100 93 86 79 72 65 58 51 44 37 30 23 16 9 2

> c <- seq(98, 1, by = -7)            ②
> c
[1] 98 91 84 77 70 63 56 49 42 35 28 21 14 7
```

① 1부터 100사이에 있는 7의 배수를 역순으로 출력하려 했는데, b 변수는 100부터 2까지 -7씩 감소하며 출력되고 있다. 그 이유는 시작 값을 올바르게 입력하지 않았기 때문이다.
② 1부터 100까지 7의 배수를 역순으로 출력하고자할 경우에는 100의 가장 가까운 7의 배수는 98을 시작 값으로 입력하여야한다.

▸▸ 3.3　수학 함수

수학 함수는 우리가 일반적으로 수학에서 사용하는 함수들로 다음과 같은 종류들이 있다.

연산자와 함수	설명	예
+, -, *	덧셈, 뺄셈, 곱셈	1 + 2 = 3, 3 - 1 = 2, 1 * 2 = 2
/, %%, %/%	나누기(값), 나머지, 몫 계산	7 / 2 = 3.5, 7 %% 2 = 1, 7 %/% 2 = 3
a^b, a**b	지수승 계산	2^3 = 8, 2**3 = 8
prod	곱셈	prod(2, 3) = 6
round	반올림	round(23.456, 2) = 23.46
ceiling	올림	ceiling(23.456) = 24
floor	내림	floor(23.456) = 23
trunc	버림	trunc(23.456) = 23
log	로그값 계산	log(1) = 0
sqrt	제곱근 계산	sqrt(25) = 5
max	최댓값 계산	max(1, 3, 5, 7) = 7
min	최솟값 계산	min(1, 3, 5, 7) = 1
sum	합계 계산	sum(1, 3, 5, 7) = 16
mean	평균 계산	a < - c(1, 3, 5, 7), mean(a)
abs	절댓값 계산	abs(-3) = 3
factorial	팩토리얼값 계산	factorial(5) = 120

실습하기 수학함수 1

```
> 3 + 5
[1] 8

> 5 - 3
[1] 2

> 3 * 5
[1] 15

> 5 / 3        ①
[1] 1.666667

> 5 %% 3    ②
[1] 2

> 5 %/% 3  ③
[1] 1
```

① 5 / 3은 수학에서 일반적으로 나누기한 값을 계산한다.
② 5 %% 3은 나머지를 계산한다.
③ 5 %/% 3은 몫을 계산한다.
④ / 연산은 실수값, 나머지는 정수값으로 계산된다.

실습하기 수학함수 2

```
> a <- c(5, 6, 7)
> b <- c(2, 3, 4)
> a + b
[1] 7 9 11

> a - b
[1] 3 3 3

> a * b
[1] 10 18 28
```

```
> a / b
[1] 2.50 2.00 1.75

> a %% b
[1] 1 0 3

> a %/% b
[1] 2 2 1
```

① 여러 개 값을 변수에 대입한 후에 연산을 하게 되면 같은 위치에 있는 값끼리 계산이 된다. 그리고 a / b 연산에서는 소수점 자리수가 가장 많은 개수를 결과가 출력된다.

실습하기 수학함수 3

```
> 3^4                    ①
[1] 81

> 3**4                   ①
[1] 81

> prod(3, 4)             ②
[1] 12

> round(23.456, 2)       ③
[1] 23.46

> ceiling(23.456)        ④
[1] 24

> floor(23.456)          ⑤
[1] 23

> trunc(23.456)          ⑥
[1] 23
```

① 3^4 , 3 ** 4는 3을 4번 곱한 결과 값을 계산한다.
② prod(3, 4)는 3 * 4 결과 값을 계산한다.
③ round(23.456, 2)는 소수점 2자리로 반올림한 값을 계산한다.
④ ceiling(23.456)은 올림한 값을 계산한다.
⑤ floor(23.456)는 내림한 값을 계산한다.
⑥ trunc(23.456)는 버림한 값을 계산한다.

실습하기   수학함수 4

```
> log(10)                    ①
[1] 2.302585

> sqrt(64)                   ②
[1] 8

> max(1, 4, 7, 9)           ③
[1] 9

> min(1, 4, 7, 9)           ④
[1] 1

> sum(1, 4, 7, 9)           ⑤
[1] 21

> a <- c(1, 4, 7, 9)        ⑥
> mean(a)
[1] 5.25

> abs(-3.4)                  ⑦
[1] 3.4

> factorial(4)              ⑧
[1] 24
```

① log(10)는 로그값을 계산한다.
② sqrt(64)는 제곱근값을 계산한다.
③ max(1, 4, 7, 9)는 최댓값을 계산한다.
④ min(1, 4, 7, 9)은 최솟값을 계산한다.
⑤ sum(1, 4, 7, 9)은 합계를 계산한다.
⑥ mean(a)은 평균을 계산한다.
⑦ abs(-3.4)는 절댓값을 계산한다.
⑧ factorial(4)은 4*3*2*1 값을 계산한다.

▸▸ 3.4 문자 함수

다음은 문자열 관련 함수들이다.

함수	설명
nchar(변수명 또는 문자열)	문자열 개수 계산
grepl(찾을 문자열, 변수명)	문자열에 문자 또는 문자열이 있는지 확인 (TRUE 또는 FALSE)
paste(변수명 또는 문자열1, …, 변수명 또는 문자열n)	문자열 연결
toupper(변수명 또는 문자열)	소문자를 대문자로 변경
tolower(변수명 또는 문자열)	대문자를 소문자로 변경
substring(변수, 시작위치, 끝위치)	일부 문자열 추출
gsub(원래문자, 변경문자, 변수)	원래 문자를 다른 문자로 변경
strsplit(변수, 나누는 기준)	문자열 나누기

실습하기 문자열 함수 1

```
> str1 <- "세종대왕과 집현전 학자들"
> nchar(str1)                          ①
[1] 13

> str2 <- "Hello World"
> grepl("hello", str2)                 ②
[1] FALSE

> grepl("Hello", str2)                 ②
[1] TRUE

> str3 <- "Korea is"
> str4 <- "the best"
> str5 <- "country"
> paste(str3, str4, str5)              ③
[1] "Korea is the best country"

> str6 <- "korea"
> toupper(str6)                        ④
[1] "KOREA"

> str7 <- "KOREA"
> tolower(str7)                        ⑤
[1] "korea"
```

① nchar() 함수는 공백을 포함한 문자의 개수를 계산한다.
② grepl() 함수는 str2 변수에 문자나 문자열이 있는지 찾아서 TRUE나 FALSE를 반환해주는데 대소문자를 구분한다는 점을 유의해야 한다.
③ paste() 함수는 여러 개의 변수들을 연결시켜 준다.
④ toupper() 함수는 모든 문자를 대문자로 변환한다.
⑤ tolower() 함수는 모든 문자를 소문자로 변환한다.

실습하기 | 문자열 함수 2

```
> str8 <- "Tomorrow is the mirror of today"
> substring(str8, 17, 22)                          ①
[1] "mirror"


> substring(str8, 17, )                            ①
[1] "mirror of today"


> gsub("Tomorrow", "Yesterday", str8)              ②
[1] "Yesterday is the mirror of today"


> str8
[1] "Tomorrow is the mirror of today"


> str9 <- gsub("Tomorrow", "Yesterday", str8)      ②
[1] "Yesterday is the mirror of today"


> strsplit(str8, " ")                              ③
[1] "Tomorrow" "is"      "the"     "mirror"  "of"       "today"
```

① substring() 함수는 공백을 포함한 시작 위치부터 끝 위치까지 문자열을 반환한다. 또한 끝위치를 생략하면 마지막 문자까지 출력한다.

② gsub() 함수는 변경된 문자를 출력해주는데 기존 변수명에 저장되어 있는 문자열은 그대로 남아 있다. 따라서 str9 변수에 대입한 후 실행하면 str8 변수의 "Tomorrow"가 "Yesterday"로 변경된 것을 확인할 수 있다.

③ strsplit() 함수는 일반적으로 공백이나 쉼표(,)를 기준으로 문자열을 나눈다.

▸▸ 3.5   비교 연산자

비교 연산자는 값을 비교할 때 사용하며 결과는 TRUE 아니면 FALSE로 출력된다.

연산자	설명
a > b	a가 b보다 크다
a < b	a가 b보다 작다
a >= b	a가 b보다 크거나 같다
a <= b	a가 b보다 작거나 같다
a == b	a와 b가 같다
a != b	a와 b가 같지 않다

실습하기   비교 연산자

```
> a <- 5
> b <- 3
> a > b
[1] TRUE

> a < b
[1] FALSE

> a >= b
[1] TRUE

> a <= b
[1] FALSE

> a == b
[1] FALSE

> a != b
[1] TRUE
```

① a == b 연산은 값이 같을 경우 TRUE이고, a != b 연산은 값을 다를 경우 TRUE이기 때문에 두
결과는 반대의 경우로 나타난다.

▸▸ 3.6 논리 연산자

컴퓨터에서 논리연산이라는 과정을 통해 상황을 판단하고 명령을 수행한다.

연산자	설명
!a	a의 부정
a | b	a 또는 b
a & b	a 그리고 b

아래 표는 각 논리연산들을 연산 결과를 보여주고 있다.

a	b	!a	a | b	a & b
TRUE	TRUE	FALSE	TRUE	TRUE
TRUE	FALSE	FALSE	TRUE	FALSE
FALSE	TRUE	TRUE	TRUE	FALSE
FALSE	FALSE	TRUE	FALSE	FALSE

실습하기   논리 연산자

```
> a <- 1
> b <- 0
> !a
[1] FALSE

> !b
[1] TRUE

> a | b
[1] TRUE

> a & b
[1] FALSE

> c <- -1
> !c
[1] FALSE
```

① 논리연산자에서 기억해야 될 것은 0 외의 모든 값들은 참으로 인식한다는 것이다.

▸▸ 3.7   조건문

3.7.1 if ~ else 함수

if ~ else 함수는 조건식이 참인 경우와 거짓일 때 실행하는 문장으로 구성되어지며 형식은 다음과 같다.

if(조건식) 조건식이 참일 때 출력문 else 조건식이 거짓일 때 출력문

if ~ else 함수는 만약에 조건식이 "참"이면 "조건식이 참일 때 출력문"을 출력하고, 그렇지 않으면 "조건식이 거짓일 때 출력문"을 출력한다. 조건식이 1개이므로 결과는 둘 중에 하나로 결정되어진다.

실습하기 if ~ else 함수

```
> jumsu <- scan()
1: 95
2:
Read 1 item
> if(jumsu >= 60)
+    print("합격")
+ else
+    print("불합격")
+
[1] "합격"

> jumsu <- scan()
1: 55
2:
Read 1 item
> if(jumsu >= 60)
+    print("합격")
+ else
+    print("불합격")
+
[1] "불합격"
```

① jumsu 변수에 scan() 함수를 이용하여 95를 입력받은 후에 if 문에서 60점 이상이면 합격, 그렇지 않으면 불합격을 출력한다.
② 입력한 후 엔터를 치게 되면 프로그램이 종료되기 때문에   사이에서 ctrl + enter를 치게 되면 문장을 이어서 작성할 수 있다.
③ + 기호는 문장이 완성이 안 된 경우에 나타나는 기호이다.

④ if 문을 실행할 때는 반드시 거짓일 경우에도 테스트를 해보는 것이 좋다. 그 이유는 우리가 어떠한 프로그램을 사용할 때 오류가 발생하는 경우들이 있는데 참일 경우에는 테스트를 하지만, 거짓인 경우 안하는 경우들이 있기 때문이다.

실습하기 if ~ else 함수(| 연산자 사용)

```
> kor <- scan()
1: 85
2:
Read 1 item
> math <- scan()
1: 55
2:
Read 1 item

> if(kor >= 60 | math >= 60)
+    print("합격")
+ else
+    print("불합격")
+
[1] "합격"
```

① kor, math 변수에 값을 입력한 후 kor 점수가 60점 이상이거나 math 점수가 60점 이상이면 합격, 그렇지 않으면 불합격을 출력한다.

실습하기 if ~ else 함수(& 연산자 사용)

```
> kor <- scan()
1: 85
2:
Read 1 item
> math <- scan()
1: 55
```

```
2:
Read 1 item

> if(kor >= 60 & math >= 60)
+    print("합격")
+ else
+    print("불합격")
+
[1] "불합격"
```

① kor, math 변수에 값을 입력한 후 kor 점수가 60점 이상이고 math 점수가 60점 이상이면 합격, 그렇지 않으면 불합격을 출력한다.

3.7.2 if ~ else if 함수

if ~ else 함수는 조건식이 하나일 경우 사용하며, if ~ else if 함수는 조건식이 여러 개일 경우 사용하고, 조건식이 참인 경우가 반복적으로 입력이 되고 마지막 else 문에서 거짓일 때 실행하는 문장으로 구성되어지며, 형식은 다음과 같다.

```
if(조건식1) 조건식1이 참일 때 출력문
else if(조건식2) 조건식2가 참일 때 출력문 …
else if(조건식n ) 조건식n이 참일 때 출력문
else조건식 n이 거짓일 때 출력문
```

if ~ else 함수는 만약에 조건식1이 "참"이면 "조건식1이 참일 때 출력문"을 출력하고, 그렇지 않고 만약에 조건식2가 "참"이면 "조건식2가 참일 때 출력문"을 출력하고, …, 그렇지 않고 만약에 조건식n이 "참"이면 "조건식 n이 참일 때 출력문"을 출력하고, 그렇지 않으면 "거짓일 때 출력문"을 출력한다. 조건식이 n개이므로 결과는 n+1개의 출력문으로 이루어진다.

실습하기   if ~ else if 함수

```
> jumsu <- scan()
1: 98
2:
Read 1 item
> if(jumsu >= 90)
+     print("A학점")
+ else if(jumsu >= 80)
+     print("B학점")
+ else
+     print("F학점")
+
[1] "A학점"
```

① jumsu 변수에 scan() 함수를 이용하여 98을 입력받은 후에 if 문에서 jumsu가 90점 이상이면 A학점, 그렇지 않고 만약에 jumsu가 80점 이상이면 B학점, 그렇지 않으면 F학점을 출력한다.
② jumsu 변수에 B학점과 F학점이 출력되도록 입력한 후 실행해보도록 한다.

3.7.3 ifelse() 함수

ifelse() 함수는 if ~ else 함수와 다르게 괄호 안에 조건식, 조건식이 참일 때 출력문, 거짓일 때 출력문을 입력하며, 형식은 다음과 같다.

---

ifelse(조건식, 조건식이 참일 때 출력문, 조건식이 거짓일 때 출력문)

---

ifelse 함수는 만약에 조건식이 참이면 조건식이 참일 때 출력문을 출력하고, 그렇지 않으면 조건식이 거짓일 때 출력문을 출력한다. if ~ else 문과 같은 의미이지만 구조가 다르다.

실습하기   if ~ else 와 ifelse 함수의 차이

```
> a <- c(1,2,3)
> b <- c(3,1,1)
> if(a > b) print("크다") else print("작다")    ①
[1] "작다"
Warning message:
In if (a > b) :
   the condition has length > 1 and only the first element will be used

> ifelse(a > b, "크다", "작다")                    ②
[1] "작다" "크다" "크다"
```

① if(a > b) print("크다") else print("작다") 문에서는 첫 번째 값만 비교한 후 결과를 출력해주고
   경고메시지(비교 값이 1보다 크기 때문에 첫 번째 값만 비교한다는 의미)가 나타난다.
② ifelse(a > b, "크다", "작다")문은 같은 위치에 있는 값들을 비교하고 결과를 나타낸다.

실습하기   ifelse() 함수

```
> jumsu <- scan()
1: 95
2:
Read 1 item
> ifelse(jumsu >= 60, "합격", "불합격")
[1] "합격"

> jumsu <- scan()
1: 55
2:
> ifelse(jumsu >= 60, "합격", "불합격")
[1] "불합격"
```

① jumsu 변수에 scan() 함수를 이용하여 95를 입력받은 후에 if 문에서 60점 이상이면 합격, 그
   렇지 않으면 불합격을 출력한다.

🖥 **실습하기** if ~ else() 함수(| 연산자 사용)

```
> kor <- scan()
1: 85
2:
Read 1 item
> math <- scan()
1: 55
2:
Read 1 item
> ifelse(kor >= 60 | math >= 60, "합격", "불합격")
[1] "합격"
```

① kor, math 변수에 값을 입력한 후 kor 점수가 60점 이상이거나 math 점수가 60점 이상이면 합격, 그렇지 않으면 불합격을 출력한다.

🖥 **실습하기** if ~ else() 함수(& 연산자 사용)

```
> kor <- scan()
1: 85
2:
Read 1 item
> math <- scan()
1: 55
2:
Read 1 item
> ifelse(kor >= 60 & math >= 60, "합격", "불합격")
[1] "불합격"
```

① kor, math 변수에 값을 입력한 후 kor 점수가 60점 이상이고 math 점수가 60점 이상이면 합격, 그렇지 않으면 불합격을 출력한다.

3.7.4 switch() 함수

switch() 함수는 여러 개의 실행문 중에서 하나를 선택하여 출력을 해주며, 형식은
다음과 같다.

> switch(입력 값, 조건1 = 명령문1, …, 조건n = 명령문n)

switch() 함수는 입력 값을 이용해 조건과 일치하는지 찾아서 명령문을 실행한다.

🖥️ 실습하기　switch() 함수

```
> switch("kor", name = "단군왕검", kor = 98, math = 87, eng =
  70)                    ①
[1] 98

> name <- scan(what = "")    ②
1: lee
2:
Read 1 item
> switch(name, lee = 98, kim = 88, hong = 90)
[1] 98
```

① switch() 함수를 이용하여 kor이라는 입력 값에 맞는 조건을 찾아서 결과 값을 출력한다.
② scan(what = "") 함수를 이용하여 이름을 입력받은 후 조건을 찾아서 결과 값을 출력한다.

▸▸ 3.8 반복문

3.8.1 for() 함수

for() 함수는 반복 횟수만큼 문장을 실행하는 함수이며, 형식은 다음과 같다.

---

for(변수 in 시작 값:끝 값) 실행문

---

for() 함수는 기본적으로 시작 값부터 끝 값까지(반복횟수) 변수 안에 대입하면서 실행문을 반복적으로 실행한다.

🖥️ 실습하기 for() 함수 1

for() 함수를 이용해서 1을 5번, 그리고 1부터 5까지 출력하시오.

```
> for(i in 1:5)        ①
+    print(1)
+
[1] 1
[1] 1
[1] 1
[1] 1
[1] 1

> for(i in 1:5)        ②
+    print(i)
+
[1] 1
```

```
[1] 2
[1] 3
[1] 4
[1] 5
```

① for() 함수를 이용하여 i = 1일 때 print() 함수 안에 있는 1을 출력, i = 2일 때 print() 함수 안에 있는 1을 출력, i = 3일 때 print() 함수 안에 있는 1을 출력, i = 4일 때 print() 함수 안에 있는 1을 출력, i = 5일 때 print() 함수 안에 있는 1을 출력 하게 되므로, 1부터 5까지 1을 5번 출력한다.

② for() 함수를 이용하여 i = 1일 때 1을 출력, i = 2일 때 2를 출력, i = 3일 때 3을 출력, i = 4일 때 4를 출력, i = 5일 때 5를 출력하는데, print() 함수 안에 있는 변수 i를 출력하기 때문에 값이 변하면서 출력된다.

실습하기   for() 함수 2

for() 함수를 이용해서 "단군왕검"을 5번 출력하시오.

```
> for(i in 1:5)
+     print("단군왕검")
+
[1] "단군왕검"
[1] "단군왕검"
[1] "단군왕검"
[1] "단군왕검"
[1] "단군왕검"
```

① for() 함수를 이용하여 i = 1일 때 "단군왕검"을 출력, i = 2일 때 "단군왕검"을 출력, i = 3일 때 "단군왕검"을 출력, i = 4일 때 "단군왕검"을 출력, i = 5일 때 "단군왕검"을 출력하는데, 1부터 5까지를 i 변수에 넣고 "단군왕검"을 5번 출력한다.

🖥️ **실습하기** for() 함수 1

for() 함수를 이용하여 1부터 10까지 숫자 중 짝수를 출력하시오.

```
> for(i in 1:5)
+    print(2 * i)
+
[1] 2
[1] 4
[1] 6
[1] 8
[1] 10
```

① i 변수에 1부터 5까지 대입한 후 2를 곱하면서 짝수가 출력된다.

🖥️ **실습하기** for() 함수 2

for() 와 if() 함수를 이용하여 1부터 10까지 숫자 중 짝수를 출력하시오.

```
> for(i in 1:10)
+    if(i %% 2 == 0)
+      print(i)
+
+
[1] 2
[1] 4
[1] 6
[1] 8
[1] 10
```

① i 변수에 1부터 10까지 대입한 후 2로 나누었을 때 나머지가 0인 값을 출력하면 된다.

실습하기 for() 함수 3

for() 함수를 이용하여 1부터 10까지 숫자 중 홀수를 출력하시오.

```
> for(i in 1:5)
+    print(2 * i - 1)
+
[1] 1
[1] 3
[1] 5
[1] 7
[1] 9
```

① i 변수에 1부터 5까지 대입한 후 2 * i - 1을 계산하면 홀수가 출력된다.

실습하기 for() 함수 4

for() 와 if() 함수를 이용하여 1부터 10까지 숫자 중 홀수를 출력하시오.

```
> for(i in 1:10)
+    if(i %% 2 == 1)
+      print(i)
+
+
[1] 1
[1] 3
[1] 5
[1] 7
[1] 9
```

① i 변수에 1부터 10까지 대입한 후 2로 나누었을 때 나머지가 1인 값을 출력하면 된다.

실습하기 for() 함수 5

for() 와 cat() 함수를 이용하여 2단을 한 줄로 출력하시오.

```
> for(i in 1:9)
+    cat("2 *", i, "=", 2 * i)
+
2 * 1 = 22 * 2 = 42 * 3 = 62 * 4 = 82 * 5 = 102 * 6 = 122 * 7 = 142 * 8 = 162 * 9 =
18
```

① 문자열이나 변수를 같이 콘솔창에 출력해주는 cat() 함수를 이용해 i 변수에 1부터 9까지 대입한 후 2단을 출력한다. 하지만 2단 결과가 이어져서 출력이 되는데 다음 줄로 넘기고자 할 경우에는 cat() 함수 아래와 같이 마지막에 ""을 추가해주면 된다.

실습하기 for() 함수를 이용해 구구단 2단 출력하기 6

for() 와 cat() 함수를 이용하여 2단을 한 줄씩 출력하시오.

```
> for(i in 1:9)
+    cat("2 *", i, "=", 2 * i, "")
+
2 * 1 = 2
2 * 2 = 4
2 * 3 = 6
2 * 4 = 8
2 * 5 = 10
2 * 6 = 12
2 * 7 = 14
2 * 8 = 16
2 * 9 = 18
```

3.8.2 while() 함수

while() 함수는 for() 함수와 같이 반복할 때 사용하는 함수이지만 약간의 차이가 있으며, 형식은 다음과 같다.

```
변수 = 초기 값
while(조건식) 실행문
```

for() 함수는 괄호 안에서 변수 안의 값이 시작 값부터 끝 값까지 반복하면서 대입되는 구조이지만, while() 함수는 실행 전에 변수 값을 초기화시켜줘야 하며 실행문 안에서 증감 값을 지정해줘야 한다.

실습하기   while() 함수 1

while() 함수를 이용해서 1을 5번, 그리고 1부터 5까지 출력하시오.

```
> i = 0
> while(i < 5)                        ①
+    print(1)
+    i = i + 1
+
[1] 1
[1] 1
[1] 1
[1] 1
[1] 1

> i = 0
> while(i < 5)                        ②
```

```
+    print(i)
+      i = i + 1
+
[1] 0
[1] 1
[1] 2
[1] 3
[1] 4


> i = 1
> while(i <= 5)                          ②
+    print(i)
+      i = i + 1
+
[1] 0
[1] 1
[1] 2
[1] 3
[1] 4
```

① 첫 번째 예제에서는 while() 함수를 실행하기 전에 i 변수를 0으로 초기화시켜야하며, i = 0일 때 5보다 작으므로 1을 출력한 후 i 변수에 1을 더하고, i = 1일 때 5보다 작으므로 출력한 후 i 변수에 1을 더하고, i = 2일 때 5보다 작으므로 1을 출력한 후 i 변수에 1을 더하고, i = 3일 때 5보다 작으므로 1을 출력한 후 i 변수에 1을 더하고, i = 4일 때 5보다 작으므로 1을 출력한 후 i 변수에 1을 더하고, i = 5일 때는 5 < 5를 만족하지 않기 때문에 반복문을 벗어나게 된다. 그렇기 때문에 1이 5번 출력된다.

② 두 번째 예제에서는 i = 0일 때 5보다 작으므로 i 값인 0을 출력한 후 i 변수에 1을 더하고, i = 1일 때 5보다 작으므로 i 값인 1을 출력한 후 i 변수에 1을 더하고, i = 2일 때 5보다 작으므로 i 값인 2를 출력한 후 i 변수에 1을 더하고, i = 3일 때 5보다 작으므로 i 값인 4를 출력한 후 i 변수에 1을 더하고, i = 5일 때는 5 < 5를 만족하지 않기 때문에 반복문을 벗어나게 된다. 그렇기 때문에 0부터 4가 출력된다. 따라서 1부터 5까지 출력하려면, 세 번째 예제처럼 초기 값과 조건식을 변경하여야 한다.

실습하기 while() 함수 2

while() 함수를 이용해서 "단군왕검"을 5번 출력하시오.

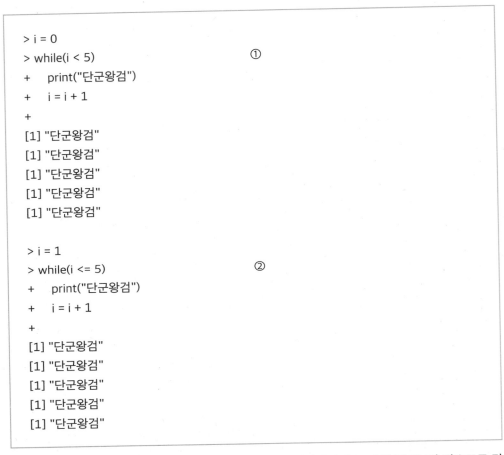

```
> i = 0
> while(i < 5)                          ①
+     print("단군왕검")
+     i = i + 1
+
[1] "단군왕검"
[1] "단군왕검"
[1] "단군왕검"
[1] "단군왕검"
[1] "단군왕검"

> i = 1
> while(i <= 5)                         ②
+     print("단군왕검")
+     i = i + 1
+
[1] "단군왕검"
[1] "단군왕검"
[1] "단군왕검"
[1] "단군왕검"
[1] "단군왕검"
```

① while() 함수를 실행하기 전에 i 변수를 0으로 초기화시켜야하며, i = 0일 때 5보다 작으므로 단군왕검을 출력한 후 i 변수에 1을 더하고, i = 1일 때 5보다 작으므로 단군왕검을 출력한 후 i 변수에 1을 더하고, i = 2일 때 5보다 작으므로 단군왕검을 출력한 후 i 변수에 1을 더하고, i = 4일 때 5보다 작으므로 단군왕검을 출력한 후 i 변수에 1을 더하고, i = 5일 때는 5 < 5를 만족하지 않기 때문에 반복문을 벗어나게 된다. 그렇기 때문에 단군왕검이 5번 출력된다.

② i를 1로 초기화시켰기 때문에 단군왕검을 5번 반복해서 출력하기 위해서 조건식이 i <= 5 로 변경해야한다.

🖥️ 실습하기 while() 함수 3

while() 함수를 이용해서 1부터 10까지 숫자 중 짝수를 출력하시오.

```
> i = 1
> while(i <= 5)
+    print(2 * i)
+    i = i + 1
+
[1] 2
[1] 4
[1] 6
[1] 8
[1] 10
```

① while() 함수를 실행하기 전에 짝수를 출력하기 위해서는, i 변수를 1로 초기화시켜야하며, i = 1 일 때 5보다 작거나 같으므로 2 * 1 = 2를 출력한 후 i 변수에 1을 더하고, i = 2일 때 5보다 작거나 같으므로 2 * 2 = 4를 출력한 후 i 변수에 1을 더하고, i = 3일 때 5보다 작거나 같으므로 2 * 3 = 6을 출력한 후 i 변수에 1을 더하고, i = 4일 때 5보다 작거나 같으므로 2 * 4 = 8을 출력한 후 i 변수에 1을 더하고, i = 5일 때 5보다 작거나 같으므로 2 * 5 = 10을 출력한 후 i 변수에 1을 더하고, i가 6일 때는 6 <= 5를 만족하지 않기 때문에 반복문을 벗어나게 된다. 그렇기 때문에 2, 4, 6, 8, 10이 출력된다.

🖥️ 실습하기 while() 함수 4

while()과 if() 함수를 이용해서 1부터 10까지 숫자 중 짝수를 출력하시오.

```
> i = 1
> while(i <= 10)
+    if(i %% 2 == 0)
+       print(i)
+    i = i + 1
+
```

```
[1] 2
[1] 4
[1] 6
[1] 8
[1] 10
```

① while() 함수를 실행하기 전에 짝수를 출력하기 위해서는 i 변수를 1로 초기화시켜야하며, i = 1
일 때 10보다 작거나 같고 만약에 1을 2로 나눈 나머지가 0과 같지 않기 때문에 print 문은 실
행이 되지 않으며 i 변수에 1을 더하고, i = 2일 때 10보다 작거나 같고 만약에 2를 2로 나눈 나
머지가 0과 같기 때문에 2를 출력한 후 i 변수에 1을 더하고, …, i = 9일 때 10보다 작거나 같
고 만약에 9를 2로 나눈 나머지가 0과 같지 않기 때문에 print 문은 실행이 되지 않으며 i 변수
에 1을 더하고, i = 10일 때 10보다 작거나 같고 만약에 10을 2로 나눈 나머지가 0과 같기 때
문에 2를 출력한 후 i 변수에 1을 더하고, i = 11일 때는 10보다 작거나 같지 않기 때문에 반복
문을 벗어난다. 그래서 2, 4, 6, 8. 10이 출력된다.

실습하기   while() 함수 5

while() 함수를 이용해서 1부터 10까지 숫자 중 홀수를 출력하시오.

```
> i = 1
> while(i <= 5)
+    print(2 * i - 1)
+   i = i + 1
+
[1] 1
[1] 3
[1] 5
[1] 7
[1] 9
```

① while() 함수를 실행하기 전에 짝수를 출력하기 위해서는, i 변수를 1로 초기화시켜야하며, i = 1 일 때 5보다 작거나 같으므로 2 * 1 - 1 = 1을 출력한 후 i 변수에 1을 더하고, i = 2일 때 5보다 작거나 같으므로 2 * 2 - 1 = 3을 출력한 후 i 변수에 1을 더하고, i = 3일 때 5보다 작거나 같으므로 2 * 3 - 1 = 5를 출력한 후 i 변수에 1을 더하고, i = 4일 때 5보다 작거나 같으므로 2 * 4 - 1 = 7을 출력한 후 i 변수에 1을 더하고, i = 5일 때 5보다 작거나 같으므로 2 * 5 - 1 = 9를 출력한 후 i 변수에 1을 더하고, i가 6일 때는 6 <= 5를 만족하지 않기 때문에 반복문을 벗어나게 된다. 그렇기 때문에 1, 3, 5, 7, 9가 출력된다.

🖥️ **실습하기** while() 함수 6

while()과 if() 함수를 이용해서 1부터 10까지 숫자 중 홀수를 출력하시오.

```
> i = 1
> while(i <= 10)
+    if(i %% 2 == 1)
+       print(i)
+    i = i + 1
+
[1] 1
[1] 3
[1] 5
[1] 7
[1] 9
```

① while() 함수를 실행하기 전에 홀수를 출력하기 위해서는, i 변수를 1로 초기화시켜야하며, i = 1일 때 10보다 작거나 같고 만약에 1을 2로 나눈 나머지가 1과 같으므로 1을 출력한 후 i 변수에 1을 더하고, i = 2일 때 10보다 작거나 같고 만약에 2를 2로 나눈 나머지가 1과 같지 않으므로 print문은 실행이 되지 않으며 i 변수에 1을 더하고, …, i = 9일 때 10보다 작거나 같고 만약에 9를 2로 나눈 나머지가 1과 같으므로 9를 출력한 후 i 변수에 1을 더하고, i = 10일 때 10보다 작거나 같고 만약에 10을 2로 나눈 나머지가 1과 같지 않으므로 print문은 실행이 되지 않으며 i 변수에 1을 더하고, i = 11일 때는 10보다 작거나 같지 않기 때문에 반복문을 벗어난다. 그래서 1, 3, 5, 7, 9가 출력된다.

![실습하기] while() 함수 7

while()과 cat() 함수를 이용하여 2단을 한 줄로 출력하시오.

```
> i = 1
> while(i <= 9)
+    cat("2 *", i, "=", 2 * i)
+    i = i + 1
+
2 * 1 = 22 * 2 = 42 * 3 = 62 * 4 = 82 * 5 = 102 * 6 = 122 * 7 = 142 * 8 = 162 * 9 =
18
```

① 문자열이나 변수를 같이 콘솔 창에 출력해주는 cat() 함수를 이용해 i 변수에 1부터 9까지 대입한 후 2단을 출력한다. 하지만 2단 결과가 이어져서 출력이 되는데 다음 줄로 넘기고자 할 경우에는 cat() 함수 아래와 같이 마지막에 ""을 추가해주면 된다.

![실습하기] while() 함수 8

while()과 cat() 함수를 이용하여 2단을 한 줄씩 출력하시오.

```
> i = 1
> while(i <= 9)
+    cat("2 *", i, "=", 2 * i, "")
+    i = i + 1
+
2 * 1 = 2
2 * 2 = 4
2 * 3 = 6
2 * 4 = 8
2 * 5 = 10
2 * 6 = 12
2 * 7 = 14
2 * 8 = 16
2 * 9 = 18
```

for() 함수는 괄호 안에 변수, 초기 값, 증감 값이 모두 포함되어 있는 구조이며, while() 함수는 초기 값은 while() 함수 전에 선언해야하며, 증감 값은 실행문 안에 있다는 차이가 있다.

3.9   패키지

패키지란 분석에 필요한 함수, 데이터 등을 모아놓은 것을 말하며, 분석에 필요한 R 패키지를 설치해서 사용하면 되며, 형식은 다음과 같다.

```
install.packages("패키지이름")
install.packages(c("패키지이름1", …, "패키지이름n"))
```

패키지를 설치할 때 하나 또는 여러 개를 설치할 수 있는데, 여러 개의 패키지를 설치할 때는 불연속 데이터를 생성해주는 c()함수 안에 패키지를 ""안에 입력하면 된다.

패키지를 설치한 후에는 라이브러리를 실행해야 분석에 필요한 함수들을 사용할 수 있으며, 형식은 다음과 같다.

```
library(패키지이름)
```

라이브러리를 실행할 때에는 패키지 설치와 다르게 이름만 입력을 해주면 된다.

패키지는 여러 가지 내용들이 묶음 형태로 이루어져 있으며, 라이브러리는 패키지에 있는 함수들을 사용할 수 있도록 해준다. 또한 패키지는 한 번의 설치만 하면 사용가능하지만, 라이브러리는 RStudio를 실행할 때마다 해줘야 한다.

다음은 패키지 종류들에 대한 내용들이며, 추후 분석에 필요한 패키지들은 자세히
설명을 하도록 하겠다.

패키지이름	설명
plyr	데이터프레임병합
dplyr	데이터 조작
reshape	데이터 모양 변경
reshape2	데이터 구조를 유연하게 변경
ggplot2	데이터 시각화
wordcloud	특정단어 빈도량 분석

1. c() 함수를 이용하여, info 변수에 다음과 같이 입력한 후 출력하는 프로그램을 작성하시오.

   [1] "홍길동"   "서울특별시" "남"

2. seq() 함수를 이용하여, nine 변수에 1부터 100까지 숫자 중에서 9의 배수를 역순으로 입력한 후 출력하는 프로그램을 작성하시오.

   [1] 99 90 81 72 63 54 45 36 27 18 9

3. 다음 수학함수에 대한 연산 결과를 작성하시오.

   ① 37 / 6
   ② 37 %% 6
   ③ 37 %/% 6

4. 문자 함수 중에서 소문자를 대문자로 변경하는 함수는 (   )이고, 대문자를 소문자로 변경하는 함수는 (   ) 이다.

5. ifelse() 함수를 이용하여 국어점수(kor)가 60점 이상이거나, 수학점수가(math)가 60점 이상이고, 평균점수(avg)가 60점 이상이면 합격, 그렇지 않으면 불합격으로 출력되는 프로그램을 작성하시오.(kor, math 점수를 입력받은 후 avg 변수에 평균을 계산)

```
> kor <- 70
> math <- 45
> avg <- (kor + math)/2
> ifelse(              )
[1] "불합격"
```

6. eng1, eng2 변수에 scan() 함수를 이용하여 값을 입력받은 후 두 점수의 평균이 80점 이상이면 합격, 그렇지 않으면 불합격으로 출력되는 프로그램을 작성하시오.

```
> eng1 <- scan()
1: 75
2:
Read 1 item
> eng2 <- scan()
1: 88
2:
Read 1 item
> ifelse(              )
[1] "합격"
```

7. 다음은 switch() 함수를 이용하여 예제이다. 빈 곳을 채워 넣으시오.

```
> switch(_____, name = "단군왕검", kor = 98, math = 87, eng = 70)
[1] 98
```

8. 다음은 결과와 같이 출력되도록 for() 함수와 while() 함수를 이용하여 프로그램을 작성하시오.

```
[1] "빅데이터"
[1] "빅데이터"
[1] "빅데이터"
[1] "빅데이터"
[1] "빅데이터"
[1] "빅데이터"
[1] "빅데이터"
```

9. 다음 결과와 같이 출력되도록 구구단 7단을 for() 함수와 while() 함수를 이용하여 프로그램을 작성하시오.

```
7 * 1 = 7
7 * 2 = 14
7 * 3 = 21
7 * 4 = 28
7 * 5 = 35
7 * 6 = 42
7 * 7 = 49
7 * 8 = 56
7 * 9 = 63
```

CHAPTER **4**

데이터 분석

R BigData Analysis

CONTENTS

4.1 데이터 파악하기

4.2 변수명 변경하기

4.3 파생변수 생성하기

▸▸ 4.1 데이터 파악하기

빅데이터 분석을 위해서는 분석하고자 하는 데이터가 어떠한 구조로 만들어져있는지 살펴볼 필요가 있으며 다음과 같은 함수들이 있다.

함수	설명
head()	데이터 앞부분 6개 확인
tail()	데이터 뒷부분 6개 확인
View()	뷰어 창에서 확인
dim()	데이터 차원 확인
str()	데이터 속성 확인
summary()	요약 통계량 확인
names()	데이터 변수명 확인
attributes()	데이터 열, 행, 자료구조 확인

데이터 파악을 위해, prac4_1.csv 파일을 2장에서 설명한 read.csv() 함수를 이용해서 데이터프레임으로 생성한 후 각 함수에 대해서 살펴보기로 한다.

```
> analy <- read.csv("prac4_1.csv")
> analy
  no kor math eng
1  1 78  99 80
2  2 98  78 70
          . . .
          . . .
          . . .
19 19 99  88 77
20 20 76  77 99
```

prac4_1.csv 파일을 analy 데이터프레임으로 생성한 후 확인을 해보니 no, kor, math, eng의 4개의 변수(열)로 이루어진 것을 볼 수 있다.

head() 함수는 데이터 앞부분 6개 데이터를 확인하고자 할 때 사용하며, 형식은 다음과 같다.

---

head(데이터프레임)
head(데이터프레임, 개수)

---

① head() 함수는 기본적으로 앞부분 6개의 데이터를 확인할 수 있으며, 원하는 개수를 지정할 수도 있다.

실습하기   head() 함수 1

head() 함수를 이용하여 analy 데이터프레임의 상위 6개 데이터를 추출하시오.

```
> head(analy)
  no kor math eng
1  1  78   99  80
2  2  98   78  70
3  3  96   85  88
4  4  58   64  99
5  5  88   95  80
6  6  77   69  99
```

① head() 함수는 괄호 안에 데이터프레임 이름을 입력해서 실행하면 되는데, 기본적으로 앞부분부터 6개의 데이터가 출력된 것을 확인할 수 있다. 하지만 원하는 개수를 지정해서 결과를 확인할 수 있는데 다음과 같이 개수를 지정해 주면 된다.

실습하기   head() 함수 2

head() 함수를 이용하여 analy 데이터프레임의 상위 3개와 7개의 데이터를 추출하시오.

```
> head(analy, 3)
  no kor math eng
1  1  78   99  80
2  2  98   78  70
3  3  96   85  88

> head(analy, 7)
  no kor math eng
1  1  78   99  80
2  2  98   78  70
3  3  96   85  88
4  4  58   64  99
5  5  88   95  80
6  6  77   69  99
7  7  69   85  99
```

① head() 함수 안에 데이터프레임 이름과 개수를 지정해주면 원하는 개수만큼 결과가 출력된 것
   을 확인할 수 있다.

tail() 함수는 데이터 뒷부분 6개 데이터를 확인하고자 할 때 사용하며, 형식은 다음
과 같다.

```
tail(데이터프레임)
tail(데이터프레임, 개수)
```

① tail() 함수는 기본적으로 뒷부분 6개의 데이터를 확인할 수 있으며, 원하는 개수를 지정할 수도
   있다.

실습하기   tail() 함수 1

tail() 함수를 이용하여 analy 데이터프레임의 하위 6개 데이터를 추출하시오.

```
> tail(analy)
   no kor math eng
15 15  64   88  98
16 16  56   96  86
17 17  98   86  87
18 18  85   85  85
19 19  99   88  77
20 20  76   77  99
```

① tail() 함수는 head() 함수와 같이 괄호 안에 데이터프레임 이름을 입력해서 실행하면 되는데, 기본적으로 뒷부분부터 6개의 데이터가 출력된 것을 확인할 수 있다. 하지만 원하는 개수를 지정해서 결과를 확인할 수 있는데 다음과 같이 개수를 지정해주면 된다.

실습하기   tail() 함수 2

tail() 함수를 이용하여 analy 데이터프레임의 하위 3개와 7개의 데이터를 추출하시오.

```
> tail(analy, 3)
   no kor math eng
18 18  85   85  85
19 19  99   88  77
20 20  76   77  99

> tail(analy, 7)
   no kor math eng
14 14  85   98  67
15 15  64   88  98
16 16  56   96  86
17 17  98   86  87
18 18  85   85  85
```

```
19 19  99   88  77
20 20  76   77  99
```

① tail() 함수 안에 데이터프레임 이름과 개수를 지정해주면 원하는 개수만큼 결과가 출력된 것을 확인할 수 있다.

View() 함수는 데이터프레임을 확인하고자 할 때 사용하며, 형식은 다음과 같다.

```
View(데이터프레임)
```

① View() 함수는 데이터프레임 구성을 한눈에 확인할 수 있다.

실습하기   View() 함수

View() 함수를 이용하여 analy 데이터프레임의 구성을 확인하시오.

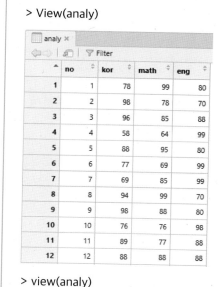

```
> View(analy)
```

	no	kor	math	eng
1	1	78	99	80
2	2	98	78	70
3	3	96	85	88
4	4	58	64	99
5	5	88	95	80
6	6	77	69	99
7	7	69	85	99
8	8	94	99	70
9	9	98	88	80
10	10	76	76	98
11	11	89	77	88
12	12	88	88	88

```
> view(analy)
Error in view(analy) : could not find function "view"
```

① View() 함수를 사용하면 데이터프레임을 스크립트 창에서 확인할 수 있으며, 분석을 할 경우에 데이터를 확인하면서 가능하다. 여기서 View() 함수에서 V가 반드시 대문자여야 한다는 것을 주의해야한다. 소문자로 입력을 하게 되면 view 함수를 찾을 수 없다는 오류가 나타난다.

dim() 함수는 데이터프레임 구성이 몇 행, 몇 열로 이루어져있는지 확인하고자 할 때 사용하며, 형식은 다음과 같다.

```
dim(데이터프레임)
```

실습하기 dim() 함수

dim() 함수를 이용하여 analy 데이터프레임의 몇 행, 몇 열로 이루어져있는지 확인하시오.

```
> dim(analy)
[1] 20  4
```

① dim() 함수는 데이터프레임이 몇 행, 몇 열로 구성되어져 있는지 확인할 수 있다. analy 데이터 프레임은 20행 4열로 구성되어 있다는 것을 알 수 있다.

str() 함수는 데이터프레임과 각 변수에 대한 속성을 확인하고자 할 때 사용하며, 형식은 다음과 같다.

```
str(데이터프레임)
```

![실습하기] str() 함수

str() 함수를 이용하여 analy 데이터프레임의 각 변수에 대한 속성을 확인하시오.

```
> str(analy)
'data.frame':        20 obs. of  4 variables:
$ no  : int  1 2 3 4 5 6 7 8 9 10 ...
$ kor : int  78 98 96 58 88 77 69 94 98 76 ...
$ math: int  99 78 85 64 95 69 85 99 88 76 ...
$ eng : int  80 70 88 99 80 99 99 70 80 98 ...
```

① str() 함수는 데이터 속성을 확인할 수 있는데, analy 데이터프레임은 4개의 변수들에 20개의 값들로 이루어져있으며, 4개의 변수(no, kor, math, eng)는 int 형의 데이터들로 구성되어진 것을 볼 수 있다.

summary() 함수는 데이터프레임에 대한 요약통계량을 확인하고자 할 때 사용하며, 형식은 다음과 같다.

```
summary(데이터프레임)
```

![실습하기] summary() 함수

summary() 함수를 이용하여 analy 데이터프레임의 요약통계량을 확인하시오.

```
> summary(analy)
      no             kor           math           eng
Min.   : 1.00   Min.   :56.00   Min.   :64.00   Min.   :67.0
1st Qu.: 5.75   1st Qu.:76.00   1st Qu.:77.75   1st Qu.:80.0
Median :10.50   Median :86.50   Median :85.50   Median :86.5
Mean   :10.50   Mean   :83.55   Mean   :85.00   Mean   :85.9
3rd Qu.:15.25   3rd Qu.:96.50   3rd Qu.:89.75   3rd Qu.:98.0
Max.   :20.00   Max.   :99.00   Max.   :99.00   Max.   :99.0
```

summary() 함수는 요약통계량을 확인할 수 있으며 각각의 통계량에 대한 내용은 다음과 같다.

통계량	설명
Min	최솟값
1st Qu	1사분위수(하위에서 25% 에 위치한 값)
Median	중앙값(가운데에 위치한 값, 2nd Qu)
Mean	평균
3rd Qu	3사분위수(하위에서 75% 에 위치한 값)
Max	최댓값

① 중앙값과 평균값은 다를 수도 있다는 점에 유의해야 한다.

names() 함수는 데이터프레임 변수 구성에 대한 내용을 확인하고자 할 때 사용하며, 형식은 다음과 같다.

```
names(데이터프레임)
```

실습하기   names() 함수

names() 함수를 이용하여 analy 데이터프레임의 변수 구성에 대한 내용을 확인하시오.

```
> names(analy)
[1] "no"   "kor"  "math" "eng"
```

① names() 함수를 사용하면 데이터프레임의 변수 구성에 대해서 확인할 수 있다.

attributes() 함수는 데이터프레임 변수, 구조, 행 이름 구성에 대한 내용을 확인하고자 할 때 사용하며, 형식은 다음과 같다.

```
attributes(데이터프레임)
```

🖥 **실습하기** **attributes() 함수**

attributes() 함수를 이용하여 analy 데이터프레임의 변수, 구조, 행 이름 구성에 대한 내용을 확인하시오.

```
> attributes(analy)
$names
[1] "no"   "kor"  "math" "eng"

$class
[1] "data.frame"

$row.names
[1]  1  2  3  4  5  6  7  8  9 10 11 12 13 14 15 16 17 18 19 20
```

① attributes() 함수를 사용하면 변수명, 데이터프레임 형태의 구조, 행 이름을 확인할 수 있다.

🖥 **실습하기** **변수명 값 확인하기**

각 변수명에 대한 값을 확인하시오.

```
> analy$no
[1]  1  2  3  4  5  6  7  8  9 10 11 12 13 14 15 16 17 18 19 20

> analy$kor
[1] 78 98 96 58 88 77 69 94 98 76 89 88 99 85 64 56 98 85 99 76

> analy$math
[1] 99 78 85 64 95 69 85 99 88 76 77 88 79 98 88 96 86 85 88 77
```

```
> analy$eng
[1] 80 70 88 99 80 99 99 70 80 98 88 88 80 67 98 86 87 85 77 99
```

① 데이터프레임$변수명을 사용하면 각 변수에 대한 값들을 확인할 수 있다.

▶▶ 4.2   변수명 변경하기

데이터를 파악한 후 분석을 용이하게 하기 위해서 변수를 수정할 때가 있다. 변수를 변경하기 위해서는 rename() 함수를 사용하면 되는데 먼저 dplyr 패키지를 설치하고 library를 실행해야 한다.

🖥️ 실습하기   데이터프레임 생성하기

"prac4_1.csv" 파일을 analy_1 데이터프레임으로 저장한 후 상위 6개 데이터를 추출하시오.

```
> install.packages("dplyr")
> library(dplyr)
> analy_1 <- read.csv("prac4_1.csv")
> head(analy_1)
  no kor math eng
1  1  78   99  80
2  2  98   78  70
3  3  96   85  88
4  4  58   64  99
5  5  88   95  80
6  6  77   69  99
```

① dplyr 패키지를 설치하고 library를 실행한 후 read.csv() 함수를 이용하여 prac4_1.csv 파일을 불러와 analy_1 데이터프레임을 생성한다. 그리고나서 데이터프레임이 올바르게 생성되었는지 확인하기 위해 head() 함수를 이용해서 6개의 데이터를 출력한다. 여기서 주의해야할 점은 패

키지를 설치할 때는 "dplyr"처럼 쌍따옴표로 묶어야한다(이어서 실습하기를 다룰 경우에는 패키지와 라이브러리 실행은 생략해도 된다, 이 부분은 실수를 많이 하기 때문에 데이터프레임을 생성할 때마다 설명을 추가도록 한다).

rename() 함수는 변수명을 변경하고자 할 때 사용되며, 형식은 다음과 같다.

> rename(데이터프레임, 변경 후 변수명 = 변경 전 변수명)

실습하기   변수명 변경하기

rename() 함수를 이용해서 eng 변수를 sci로 변경하고 analy 데이터프레임과 비교하시오.

```
> analy_1 <- rename(analy_1, sci = eng)
> head(analy_1)
  no kor math sci
1  1  78   99  80
2  2  98   78  70
3  3  96   85  88
4  4  58   64  99
5  5  88   95  80
6  6  77   69  99

> head(analy)
  no kor math eng
1  1  78   99  80
2  2  98   78  70
3  3  96   85  88
4  4  58   64  99
5  5  88   95  80
6  6  77   69  99
```

① rename(데이터프레임, 변경 후 변수명 = 변경 전 변수명)을 사용하여 변수명을 변경할 수 있으며, 변경 후 데이터프레임과 변경 전 데이터프레임을 확인해 보면 eng 변수명이 sci로 변경된 것을 확인할 수 있다.

▶▶ 4.3   파생변수 생성하기

데이터를 파악하고 변수명을 수정한 후에 추가적인 분석을 위해 기존 변수를 이용하여 변수를 새롭게 생성해야하는 경우가 있다. 파생변수를 생성하기 위해서는 두 개 이상의 변수를 연산하여 만들 수 있다.

두 개 이상의 변수를 이용하여 새로운 변수를 생성하고자 할 때는 다음과 같다.

> 데이터프레임$파생변수명 <- 데이터프레임$변수명1 + 데이터프레임$변수명2 + … + 데이터프레임$변수명n

① 데이터프레임과 변수명 사이는 $로 연결해줘야 한다.

🖥 실습하기 파생 변수 생성하기(변수 연산)

"prac4_1.csv" 파일을 analy_2 데이터프레임으로 저장한 후 kor, math, eng 변수들의 합계와 평균을 계산하시오.

```
> analy_2 <- read.csv("prac4_1.csv")                               ①
> head(analy_2)
  no kor math eng
1 1 78  99  80
2 2 98  78  70
3 3 96  85  88
4 4 58  64  99
5 5 88  95  80
6 6 77  69  99

> analy_2$sum <- analy_2$kor + analy_2$math + analy_2$eng          ②
> head(analy_2)
  no kor math eng sum
```

```
1 1 78  99 80 257
2 2 98  78 70 246
3 3 96  85 88 269
4 4 58  64 99 221
5 5 88  95 80 263
6 6 77  69 99 245

> analy_2$avg1 <- (analy_2$kor + analy_2$math + analy_2$eng) / 3      ③
> head(analy_2)
  no kor math eng sum    avg1
1 1 78  99 80 257 85.66667
2 2 98  78 70 246 82.00000
3 3 96  85 88 269 89.66667
4 4 58  64 99 221 73.66667
5 5 88  95 80 263 87.66667
6 6 77  69 99 245 81.66667

> analy_2$avg2 <- analy_2$sum / 3                              ③
> head(analy_2)
  no kor math eng sum    avg1      avg2
1 1 78  99 80 257 85.66667 85.66667
2 2 98  78 70 246 82.00000 82.00000
3 3 96  85 88 269 89.66667 89.66667
4 4 58  64 99 221 73.66667 73.66667
5 5 88  95 80 263 87.66667 87.66667
6 6 77  69 99 245 81.66667 81.66667
```

① 변수 연산을 이용하여 파생변수를 생성하기 위해 read.csv() 함수를 이용하여 prac4_1.csv 파일을 불러와 analy_2 데이터프레임을 생성한다. 그리고나서 데이터프레임이 올바르게 생성되었는지 확인하기 위해 head() 함수를 이용해서 6개의 데이터를 출력한다.

② kor, math, eng 변수를 이용하여 합계(sum)를 계산한다. 파생변수를 올바르게 생성했는지 확인하기 위해 head() 함수를 이용하여 6개의 데이터를 출력한다.

③ kor, math, eng 변수를 이용하여 평균(avg)을 생성한다. 평균을 계산할 때는 각 변수의 합계나 합계 변수의 값을 개수로 나누어서 계산할 수 있다. 파생변수를 올바르게 생성했는지 확인하기 위해 head() 함수를 이용하여 6개의 데이터를 출력한다.

1. 다음은 데이터를 파악할 때 사용하는 함수들이다. 각 함수에 대해 설명하시오.

함수	설명
head()	
tail()	
View()	
dim()	
str()	
summary()	
names()	
attributes()	

2. 다음은 summary 함수 요약통계량에 대한 내용이다. 각 통계량에 대해 설명하시오.

통계량	설명
Min	
1st Qu	
Median	
Mean	
3rd Qu	
Max	

3. 데이터프레임 변수 구성에 대한 내용을 확인하고자 할 때 사용할 때 사용하는 함수는 (   )
    이다.

4. 다음 데이터프레임을 이용하여 data 변수명을 bigdata로 변경하시오.

```
> prac_1
  no kor math sci
1  1  78   99  80
2  2  98   78  70
3  3  96   85  88
4  4  58   64  99
5  5  88   95  80
6  6  77   69  99
```

```
> install.packages("dplyr")
> library(dplyr)
> prac_1 <- (                    )
```

5. 다음 데이터프레임(prac_2)을 이용하여 합계(sum), 평균(avg) 파생변수를 생성하시오.

	name	kor	math	eng
1	단군왕검	98	88	78
2	주몽	89	96	88
3	대조영	100	99	68
4	왕건	78	88	88
5	이성계	69	100	99

```
> prac_2$sum <- (              )
> prac_2$avg <- (              )
```

CHAPTER

5

데이터 가공 및 분석

R BigData Analysis

C O N T E N T S

5.1 데이터 추출하기

5.2 데이터 정렬하기

5.3 데이터 변형하기

5.4 데이터 요약하기

5.5 데이터 그룹화 하기

5.6 데이터 결합하기

데이터 가공 및 분석은 원본 데이터를 이용하여 데이터 추출, 정렬, 변형, 요약, 그룹화, 결합하여 원하는 새로운 데이터를 생성하거나 분석하는 것을 말한다. 그리고 dplyr이라는 패키지를 이용하여 처리할 수 있으며 대표적인 함수는 다음과 같다.

함수	설명
filter	행 추출
select	열 추출
arrange	정렬
mutate	파생변수 생성
summarise	통계치 산출
group_by	그룹화
left_join	열 결합
bind_rows	행 결합
%>%	파이프연산자, 앞 뒤 연결

① %>%(파이프 연산자)는 이전 데이터를 이용해 추가적인 기능(함수)을 사용할 수 있도록 연결해 주는 역할을 한다.

▸▸ 5.1 ┃ 데이터 추출하기

데이터 추출하기란 데이터프레임에서 원하는 행이나 열을 가공해서 결과로 확인하거나 새로운 데이터프레임으로 만드는 것이다.

filter() 함수는 행을 추출하고자 할 때 사용되며, 형식은 다음과 같다.

```
① filter(데이터프레임, 조건식)
② filter(데이터프레임, 조건식1 & 조건식2 & … & 조건식n)
③ filter(데이터프레임, 조건식1 | 조건식2 | … | 조건식n)
① 데이터프레임 %>% filter(조건식)
② 데이터프레임 %>% filter(조건식1 & 조건식2 & … & 조건식n)
③ 데이터프레임 %>% filter(조건식1 | 조건식2 | … | 조건식n)
```

① 데이터프레임에서 조건식에 맞는 원하는 행을 추출할 수 있다.

② 데이터프레임에서 조건식들을 전부 만족하는 행을 추출할 수 있다.

③ 데이터프레임에서 조건식들 중 하나만 만족하는 행을 추출할 수 있다.

④ %>% 는 ~에서라는 의미로 사용된다고 이해하면 된다.

실습하기 　데이터프레임 생성하기

"prac5_1.csv" 파일을 process_1 데이터프레임으로 저장한 후 상위 6개 데이터를 추출하시오.

```
> install.packages("dplyr")
> library(dplyr)
> process_1 <- read.csv("prac5_1.csv")
> head(process_1)
  no ban kor math eng
1 1   2  78   99  80
2 2   3  98   70  70
3 3   1  90   85  88
4 4   4  58   64  99
5 5   3  88   95  80
6 6   2  77   69  99
```

① dplyr 패키지를 설치하고 library를 실행한 후 read.csv() 함수를 이용하여 prac5_1.csv 파일을 불러와 process_1 데이터프레임을 생성한다. 그리고나서 데이터프레임이 올바르게 생성되었는지 확인하기 위해 head() 함수를 이용해서 6개의 데이터를 출력한다. 여기서 주의해야할 점은 패키지를 설치할 때는 "dplyr"처럼 쌍따옴표로 묶어야한다.

실습하기   filter() 함수 1

filter() 함수를 이용하여 process_1 데이터프레임의 kor 변수값이 90보다 큰 값들을 추출
하시오.

```
> chapter5_1 <- filter(process_1, kor > 90)
> chapter5_1
  no ban kor math eng
1  2   3  98   70  70
2  9   4  98   88  80


> chapter5_2 <- process_1 %>% filter(kor > 90)
> chapter5_2
  no ban kor math eng
1  2   3  98   70  70
2  9   4  98   88  80
```

① process_1 데이터프레임에서 kor 변수 값이 90보다 큰 행들을 출력해준다.

실습하기   filter() 함수 2

filter() 함수를 이용하여 process_1 데이터프레임의 math 변수값이 70보다 작은 값들을
추출하시오.

```
> chapter5_3 <- filter(process_1, math < 70)
> chapter5_3
  no ban kor math eng
1  4   4  58   64  99
2  6   2  77   69  99


> chapter5_4 <- process_1 %>% filter(math < 70)
> chapter5_4
  no ban kor math eng
1  4   4  58   64  99
2  6   2  77   69  99
```

① process_1 데이터프레임에서 math 변수 값이 70보다 작은 행들을 출력해준다.

실습하기   filter() 함수 3

filter() 함수를 이용하여 process_1 데이터프레임의 kor 변수값이 90보다 크거나 같은 값
들을 추출하시오.

```
> chapter5_5 <- filter(process_1, kor >= 90)
> chapter5_5
  no ban kor math eng
1 2   3  98  70 70
2 3   1  90  85 88
3 8   4  90  99 70
4 9   4  98  88 80

> chapter5_6 <- process_1 %>% filter(kor >= 90)
> chapter5_6
  no ban kor math eng
1 2   3  98  70 70
2 3   1  90  85 88
3 8   4  90  99 70
4 9   4  98  88 80
```

① process_1 데이터프레임에서 kor 변수 값이 90보다 크거나 같은 행들을 출력해준다.
② 이전 실습 결과와 비교를 해보면 kor 변수 값 90이 포함된 것을 확인할 수 있다.

실습하기   filter() 함수 4

filter() 함수를 이용하여 process_1 데이터프레임의 math 변수값이 70보다 작거나 같은
값들을 추출하시오.

```
> chapter5_7 <- filter(process_1, math <= 70)
> chapter5_7
  no ban kor math eng
1 2   3  98  70 70
```

```
   2  4  4 58  64  99
   3  6  2 77  69  99
   4 10  3 70  70  98

> chapter5_8 <- process_1 %>% filter(math <= 70)
> chapter5_8
  no ban kor math eng
1  2  3 98  70  70
2  4  4 58  64  99
3  6  2 77  69  99
4 10  3 70  70  98
```

① process_1 데이터프레임에서 math 변수 값이 70보다 작거나 같은 행들을 출력해준다.
② 이전 실습 결과와 비교를 해보면 math 변수 값 70이 포함된 것을 확인할 수 있다.

실습하기 filter() 함수 5

filter() 함수를 이용하여 process_1 데이터프레임의 ban 변수값이 1인 값들을 추출하시오.

```
> chapter5_9 <- filter(process_1, ban == 1)
> chapter5_9
  no ban kor math eng
1  3  1 90  85  88
2  7  1 69  85  99

> chapter5_10 <- process_1 %>% filter(ban == 1)
> chapter5_10
  no ban kor math eng
1  3  1 90  85  88
2  7  1 69  85  99
```

① process_1 데이터프레임에서 ban 변수 값이 1과 같은 행들을 출력해준다. 여기서 주의할 점은 같은 값들에 대한 행을 추출해야하기 때문에 = (대입연산자)가 아닌 == (비교연산자)를 사용해야 한다.

🖥️ **실습하기**   filter() 함수 6

filter() 함수를 이용하여 process_1 데이터프레임의 ban 변수값이 1이 아닌 값들을 추출하시오.

```
> chapter5_11 <- filter(process_1, ban != 1)
> chapter5_11
  no ban kor math eng
1 1   2  78  99  80
2 2   3  98  70  70
3 4   4  58  64  99
4 5   3  88  95  80
5 6   2  77  69  99
6 8   4  90  99  70
7 9   4  98  88  80
8 10  3  70  70  98

> chapter5_12 <- process_1 %>% filter(ban != 1)
> chapter5_12
  no ban kor math eng
1 1   2  78  99  80
2 2   3  98  70  70
3 4   4  58  64  99
4 5   3  88  95  80
5 6   2  77  69  99
6 8   4  90  99  70
7 9   4  98  88  80
8 10  3  70  70  98
```

① process_1 데이터프레임에서 ban 변수 값이 1이 아닌 같은 행들을 출력해준다.

🖥️ **실습하기** filter() 함수 7

filter() 함수를 이용하여 process_1 데이터프레임의 eng 변수값이 80보다 크거나 같고 eng 변수값이 90보다 작은 값들을 추출하시오.

```
> chapter5_13 <- filter(process_1, eng >= 80 & eng < 90)
> chapter5_13
  no ban kor math eng
1  1   2  78   99  80
2  3   1  90   85  88
3  5   3  88   95  80
4  9   4  98   88  80

> chapter5_14 <- process_1 %>% filter(eng >= 80 & eng < 90)
> chapter5_14
  no ban kor math eng
1  1   2  78   99  80
2  3   1  90   85  88
3  5   3  88   95  80
4  9   4  98   88  80
```

① process_1 데이터프레임에서 eng 변수 값이 80 이상이고 eng 변수 값이 90 미만인 행 값들을 출력해준다.

🖥️ **실습하기** filter() 함수 8

filter() 함수를 이용하여 process_1 데이터프레임의 eng 변수값이 90보다 크거나 같고 eng 변수값이 70보다 작거나 값들을 추출하시오.

```
> chapter5_15 <- filter(process_1, eng >= 90 | eng <= 70)
> chapter5_15
  no ban kor math eng
1  2   3  98   70  70
```

```
2  4   4 58  64  99
3  6   2 77  69  99
4  7   1 69  85  99
5  8   4 90  99  70
6 10   3 70  70  98

> chapter5_16 <- process_1 %>% filter(eng >= 90 | eng <= 70)
> chapter5_16
  no ban kor math eng
1  2   3 98  70  70
2  4   4 58  64  99
3  6   2 77  69  99
4  7   1 69  85  99
5  8   4 90  99  70
6 10   3 70  70  98
```

① process_1 데이터프레임에서 eng 변수 값이 90 이상이거나 eng 변수 값이 70 이하인 행 값들을 출력해준다.

select() 함수는 열을 추출하고자 할 때 사용되며, 형식은 다음과 같다.

```
① select(데이터프레임, 변수명)
② select(데이터프레임, 변수명1, 변수명2, … , 변수명n)
③ select(데이터프레임, -변수명)
③ select(데이터프레임, -c(변수명1, 변수명2, … , 변수명n))
① 데이터프레임 %>% select(변수명)
② 데이터프레임 %>% select(변수명1, 변수명2, … , 변수명n)
③ 데이터프레임 %>% select(-변수명)
④ 데이터프레임 %>% select(-c(변수명1, 변수명2, … , 변수명n))
```

① 데이터프레임에서 원하는 열을 추출할 수 있다.
② 데이터프레임에서 여러 개의 열을 추출할 수 있다.
③ 데이터프레임에서 원하는 열을 제외하고 추출할 수 있다.
④ 데이터프레임에서 원하는 열들을 제외하고 추출할 수 있다.

실습하기   **데이터프레임 생성하기**

"prac5_1.csv" 파일을 process_2 데이터프레임으로 저장한 후 상위 6개 데이터를 추출하시오.

```
> install.packages("dplyr")
> library(dplyr)
> process_2 <- read.csv("prac5_1.csv")
> head(process_2)
  no ban kor math eng
1  1   2  78   99  80
2  2   3  98   70  70
3  3   1  90   85  88
4  4   4  58   64  99
5  5   3  88   95  80
6  6   2  77   69  99
```

① dplyr 패키지를 설치하고 library를 실행한 후 read.csv() 함수를 이용하여 prac5_1.csv 파일을 불러와 process_2 데이터프레임을 생성한다. 그리고나서 데이터프레임이 올바르게 생성되었는지 확인하기 위해 head() 함수를 이용해서 6개의 데이터를 출력한다. 여기서 주의해야할 점은 패키지를 설치할 때는 "dplyr"처럼 쌍따옴표로 묶어야한다.

실습하기   **select() 함수 1**

select() 함수를 이용하여 process_2 데이터프레임의 kor 변수값을 추출하시오.

```
> chapter5_17 <- select(process_2, kor)
> chapter5_17
  kor
1  78
2  98
3  90
   .
   .
9  98
```

```
10  70

> chapter5_18 <- process_2 %>% select(kor)
> chapter5_18
  kor
1  78
2  98
3  90
   .
   .
9  98
10  70
```

① process_2 데이터프레임에서 kor 변수 열만 출력해준다.

실습하기 select() 함수 2

select() 함수를 이용하여 process_2 데이터프레임의 kor, math 변수값을 추출하시오.

```
> chapter5_19 <- select(process_2, kor, math)
> chapter5_19
  kor math
1  78  99
2  98  70
3  90  85
   .
   .
9  98  88
10  70  70

> chapter5_20 <- process_2 %>% select(kor, math)
> chapter5_20
  kor math
1  78  99
2  98  70
```

```
     3  90  85
              .
              .
     9  98  88
    10  70   70
```

① process_2 데이터프레임에서 kor, math 변수 열들을 출력해준다.

🖥️ 실습하기   select() 함수 3

select() 함수를 이용하여 process_2 데이터프레임의 kor 변수값을 제외하고 추출하시오.

```
> chapter5_21 <- select(process_2, -kor)
> chapter5_21
   no ban math eng
1   1   2  99 80
2   2   3  70 70
3   3   1  85 88
              .
              .
9   9   4  88 80
10 10   3  70 98

> chapter5_22 <- process_2 %>% select(-kor)
> chapter5_22
   no ban math eng
1   1   2  99 80
2   2   3  70 70
3   3   1  85 88
              .
              .
9   9   4  88 80
10 10   3  70 98
```

① process_2 데이터프레임에서 kor 변수를 제외한 전체 열들을 출력해준다.

실습하기 select() 함수 4

select() 함수를 이용하여 process_2 데이터프레임의 kor, math 변수값을 제외하고 추출하시오.

```
> chapter5_23 <- select(process_2, -c(kor, math))
> chapter5_23
   no ban eng
1  1   2  80
2  2   3  70
3  3   1  88
   .
   .
9  9   4  80
10 10   3  98

> chapter5_24 <- process_2 %>% select(-c(kor, math))
> chapter5_24
   no ban eng
1  1   2  80
2  2   3  70
3  3   1  88
   .
   .
9  9   4  80
10 10   3  98
```

① process_2 데이터프레임에서 kor, math 변수를 제외한 전체 열들을 출력해준다. 두 개 이상의 변수를 사용할 때는 c() 함수를 이용해야 한다.

▸ 5.2   데이터 정렬하기

데이터 정렬하기란 데이터프레임에서 변수를 이용하여 오름차순이나 내림차순으로 나타내는 것을 말하며, arrange() 함수를 사용하고, 형식은 다음과 같다.

① arrange(데이터프레임, 변수명)
② arrange(데이터프레임, 변수명1, 변수명2, … , 변수명n)
③ arrange(데이터프레임, desc(변수명))
① 데이터프레임 %>% arrange(변수명)
② 데이터프레임 %>% arrange(변수명1, 변수명2, … , 변수명n)
③ 데이터프레임 %>% arrange(desc(변수명))
④ 데이터프레임 %>% arrange(desc(변수명1)) %>% … %>% arrange(desc(변수명n))

① 데이터프레임에서 변수명을 기준으로 오름차순 정렬을 해준다.
② 데이터프레임에서 변수명1, 변수명2, … , 변수명n 순서 기준으로 오름차순 정렬을 해준다.
③ 데이터프레임에서 변수명을 기준으로 내림차순 정렬을 해준다.
④ 데이터프레임에서 변수명1, 변수명2, … , 변수명n 순서 기준으로 내림차순 정렬을 해준다.
⑤ 내림차순으로 정렬을 하고자 할 경우에는 desc(변수명)를 사용하면 된다.

실습하기   데이터프레임 생성하기

"prac5_1.csv" 파일을 process_3 데이터프레임으로 저장한 후 상위 6개 데이터를 추출하시오.

```
> install.packages("dplyr")
> library(dplyr)
> process_3 <- read.csv("prac5_1.csv")
> head(process_3)
  no ban kor math eng
1 1   2  78   99  80
2 2   3  98   70  70
3 3   1  90   85  88
```

```
4  4   4  58   64  99
5  5   3  88   95  80
6  6   2  77   69  99
```

① dplyr 패키지를 설치하고 library를 실행한 후 read.csv() 함수를 이용하여 prac5_1.csv 파일을
불러와 process_3 데이터프레임을 생성한다. 그리고나서 데이터프레임이 올바르게 생성되었는
지 확인하기 위해 head() 함수를 이용해서 6개의 데이터를 출력한다. 여기서 주의해야할 점은
패키지를 설치할 때는 "dplyr"처럼 쌍따옴표로 묶어야한다.

🖥 **실습하기**   arrange() 함수 1

arrange() 함수를 이용하여 process_3 데이터프레임에 대해 ban 변수값을 기준으로 오름
차순으로 정렬한 후 chapter5_25 데이터프레임에 저장하고 결과를 확인하시오.

```
> chapter5_25 <- arrange(process_3, ban)
> chapter5_25
   no ban kor math eng
1   3   1  90   85  88
2   7   1  69   85  99
3   1   2  78   99  80
4   6   2  77   69  99
5   2   3  98   70  70
6   5   3  88   95  80
7  10   3  70   70  98
8   4   4  58   64  99
9   8   4  90   99  70
10  9   4  98   88  80

> chapter5_26 <- process_3 %>% arrange(ban)
> chapter5_26
   no ban kor math eng
1   3   1  90   85  88
2   7   1  69   85  99
```

```
 3  1  2 78  99 80
 4  6  2 77  69 99
 5  2  3 98  70 70
 6  5  3 88  95 80
 7 10  3 70  70 98
 8  4  4 58  64 99
 9  8  4 90  99 70
10  9  4 98  88 80
```

① process_3 데이터프레임에서 ban 변수를 기준으로 오름차순 정렬을 한 후 출력해준다.

실습하기   arrange() 함수 2

arrange() 함수를 이용하여 process_3 데이터프레임에 대해 ban, kor, math, eng 순서대로 오름차순으로 정렬하시오.

```
> chapter5_27 <- arrange(process_3, ban, kor, math, eng)
> chapter5_27
  no ban kor math eng
1  7  1 69  85 99
2  3  1 90  85 88
3  6  2 77  69 99
4  1  2 78  99 80
5 10  3 70  70 98
6  5  3 88  95 80
7  2  3 98  70 70
8  4  4 58  64 99
9  8  4 90  99 70
10 9  4 98  88 80

> chapter5_28 <- process_3 %>% arrange(ban, kor, math, eng)
> chapter5_28
  no ban kor math eng
1  7  1 69  85 99
```

```
 2  3  1 90  85  88
 3  6  2 77  69  99
 4  1  2 78  99  80
 5 10  3 70  70  98
 6  5  3 88  95  80
 7  2  3 98  70  70
 8  4  4 58  64  99
 9  8  4 90  99  70
10  9  4 98  88  80
```

① process_3 데이터프레임에서 ban 변수를 기준으로 오름차순 정렬을 한 후 kor, math, eng 순서대로 오름차순 정렬한 결과를 나타낸다.

실습하기   arrange() 함수 3

arrange() 함수를 이용하여 process_3 데이터프레임에 대해 ban 변수값을 기준으로 내림차순으로 정렬한 후 chapter5_29데이터프레임에 저장하고 결과를 확인하시오.

```
> chapter5_29 <- arrange(process_3, desc(ban))
> chapter5_29
   no ban kor math eng
1   4   4  58   64  99
2   8   4  90   99  70
3   9   4  98   88  80
          .        .
          .        .
          .        .
8   6   2  77   69  99
9   3   1  90   85  88
10  7   1  69   85  99

> chapter5_30 <- process_3 %>% arrange(desc(ban))
> chapter5_30
   no ban kor math eng
```

```
 1  4  4 58  64 99
 2  8  4 90  99 70
 3  9  4 98  88 80
              .          .
              .          .
              .          .
 7  1  2 78  99 80
 8  6  2 77  69 99
 9  3  1 90  85 88
10  7  1 69  85 99
```

① process_3 데이터프레임에서 ban 변수를 기준으로 내림차순 정렬을 한 후 출력해준다.

🖥️ **실습하기**　arrange() 함수 4

%>% 연산자와 arrange() 함수를 이용하여 process_3 데이터프레임에 대해 ban, kor, math, eng 순서대로 내림차순으로 정렬한 후 chapter5_31 데이터프레임에 저장하고 결과를 확인하시오.

```
> chapter5_31 <- process_3 %>% arrange(desc(ban)) %>%
  arrange(desc(kor)) %>% arrange (desc(math)) %>%
  arrange(desc(eng))
> chapter5_31
   no ban kor math eng
1   7  1  69  85 99
2   6  2  77  69 99
3   4  4  58  64 99
4  10  3  70  70 98
5   3  1  90  85 88
6   1  2  78  99 80
7   5  3  88  95 80
8   9  4  98  88 80
9   8  4  90  99 70
10  2  3  98  70 70
```

① process_3 데이터프레임에서 ban 변수를 기준으로 내림차순 정렬을 한 결과를 가지고 kor 변수를 기준으로 다시 내림차순으로 정렬을 한다, 그리고 math 변수를 기준으로 내림차순 정렬을 한 후, 마지막으로 eng 변수를 기준으로 내림차순 정렬한 결과를 출력해준다.

▶ 5.3 데이터 변형하기

데이터 변형하기란 데이터프레임에서 수식이나 조건식을 이용하여 새로운 변수명을 추가하는 것을 말하며, mutate() 함수를 사용하고, 형식은 다음과 같다.

> mutate(데이터프레임, 변수명 = 수식)
> mutate(데이터프레임, 변수명 = 조건식)
> 데이터프레임 %>% mutate(변수명 = 수식)
> 데이터프레임 %>% mutate(변수명 = 조건식)

① mutate() 함수는 기본적으로 데이터프레임에서 수식이나 조건식을 이용해 새로운 변수를 추가해준다.

실습하기 데이터프레임 생성하기

"prac5_1.csv" 파일을 process_4 데이터프레임으로 저장한 후 상위 6개 데이터를 추출하시오.

```
> install.packages("dplyr")
> library(dplyr)
> process_4 <- read.csv("prac5_1.csv")
> head(process_4)
 no ban kor math eng
1 1  2 78  99 80
2 2  3 98  70 70
3 3  1 90  85 88
```

```
4  4  4  58  64  99
5  5  3  88  95  80
6  6  2  77  69  99
```

① dplyr 패키지를 설치하고 library를 실행한 후 read.csv() 함수를 이용하여 prac5_1.csv 파일을
불러와 process_4 데이터프레임을 생성한다. 그리고나서 데이터프레임이 올바르게 생성되었는
지 확인하기 위해 head() 함수를 이용해서 6개의 데이터를 출력한다. 여기서 주의해야할 점은
패키지를 설치할 때는 "dplyr"처럼 쌍따옴표로 묶어야한다.

🖥️ 실습하기   mutate() 함수 1

mutate() 함수를 이용하여 process_4 데이터프레임의 kor, math, eng 변수들의 합계를 계
산하는 sum 변수를 추가하고 chapter5_32 데이터프레임에 저장한 후 결과를 확인하시오.

```
> chapter5_32 <- mutate(process_4, sum = kor + math + eng)
> chapter5_32
   no ban kor math eng sum
1   1   2  78   99  80 257
2   2   3  98   70  70 238
3   3   1  90   85  88 263
4   4   4  58   64  99 221
5   5   3  88   95  80 263
6   6   2  77   69  99 245
7   7   1  69   85  99 253
8   8   4  90   99  70 259
9   9   4  98   88  80 266
10 10   3  70   70  98 238
```

① process_4 데이터프레임에서 kor, math, eng 변수의 합계를 이용해서 sum 파생변수를 생성한다.

mutate() 함수 2

%>% 연산자와 mutate() 함수를 이용하여 process_4 데이터프레임의 kor, math, eng 변수들의 합계를 계산하는 sum 변수를 추가하고 chapter5_33 데이터프레임에 저장한 후 결과를 확인하시오.

```
> chapter5_33 <- process_4 %>% mutate(sum = kor + math + eng)
> chapter5_33
   no ban kor math eng sum
1   1   2  78   99  80 257
2   2   3  98   70  70 238
3   3   1  90   85  88 263
4   4   4  58   64  99 221
5   5   3  88   95  80 263
6   6   2  77   69  99 245
7   7   1  69   85  99 253
8   8   4  90   99  70 259
9   9   4  98   88  80 266
10 10   3  70   70  98 238
```

① process_4 데이터프레임에서 kor, math, eng 변수의 합계를 이용해서 sum 파생변수를 생성한다.

mutate() 함수 3

mutate() 함수를 이용하여 process_4 데이터프레임의 kor, math, eng 변수들의 평균을 계산하는 avg 변수를 추가하고 chapter5_34 데이터프레임에 저장한 후 결과를 확인하시오.

```
> chapter5_34 <- mutate(process_4, avg = (kor + math + eng) / 3)
> chapter5_34
   no ban kor math eng      avg
1   1   2  78   99  80 85.66667
2   2   3  98   70  70 79.33333
```

```
 3  3  1 90   85  88 87.66667
 4  4  4 58   64  99 73.66667
 5  5  3 88   95  80 87.66667
 6  6  2 77   69  99 81.66667
 7  7  1 69   85  99 84.33333
 8  8  4 90   99  70 86.33333
 9  9  4 98   88  80 88.66667
10 10  3 70   70  98 79.33333
```

① process_4 데이터프레임에서 kor, math, eng 변수의 평균을 이용해서 sum 파생변수를 생성한다.

실습하기 mutate() 함수 4

%>% 연산자와 mutate() 함수를 이용하여 process_4 데이터프레임의 kor, math, eng 변수들의 평균을 계산하는 avg 변수를 추가하고 chapter5_35 데이터프레임에 저장한 후 결과를 확인하시오.

```
> chapter5_35 <- process_4 %>% mutate(avg = (kor + math + eng) / 3)
> chapter5_35
   no ban kor math eng     avg
1   1  2 78   99  80 85.66667
2   2  3 98   70  70 79.33333
3   3  1 90   85  88 87.66667
4   4  4 58   64  99 73.66667
5   5  3 88   95  80 87.66667
6   6  2 77   69  99 81.66667
7   7  1 69   85  99 84.33333
8   8  4 90   99  70 86.33333
9   9  4 98   88  80 88.66667
10 10  3 70   70  98 79.33333
```

① process_4 데이터프레임에서 kor, math, eng 변수의 평균을 이용해서 sum 파생변수를 생성한다.

조건식을 이용해 파생변수를 생성하기 위해 process_4의 복사본 process_5 데이터프레임을 생성한다.

```
> process_5 <- process_4
> head(process_5)
  no ban kor math eng
1 1   2  78   99  80
2 2   3  98   70  70
3 3   1  90   85  88
4 4   4  58   64  99
5 5   3  88   95  80
6 6   2  77   69  99
```

🖥️ **실습하기**   mutate() 함수 5

mutate() 함수를 이용하여 process_5 데이터프레임의 kor, math, eng 변수들의 합계가 240 이상이면 "합격", 그렇지 않으면 "불합격"을 pass 변수에 추가하고 chapter5_36 데이터프레임에 저장한 후 결과를 확인하시오.

```
> chapter5_36 <- mutate(process_5, pass = ifelse(kor + math + eng >= 240, "합격",
"불합격"))
> chapter5_36
   no ban kor math eng   pass
1  1   2  78   99  80   합격
2  2   3  98   70  70   불합격
3  3   1  90   85  88   합격
4  4   4  58   64  99   불합격
5  5   3  88   95  80   합격
6  6   2  77   69  99   합격
7  7   1  69   85  99   합격
8  8   4  90   99  70   합격
9  9   4  98   88  80   합격
10 10  3  70   70  98   불합격
```

① process_5 데이터프레임에서 만약에 kor, math, eng 변수의 합계가 240점 이상이면 합격, 그
렇지 않으면 불합격을 pass 변수에 대입한다.

실습하기 mutate() 함수 6

%>% 연산자와 mutate() 함수를 이용하여 process_5 데이터프레임의 kor, math, eng 변
수들의 합계가 240 이상이면 "합격", 그렇지 않으면 "불합격"을 pass 변수에 추가하고
chapter5_37 데이터프레임에 저장한 후 결과를 확인하시오.

```
> chapter5_37 <- process_5 %>% mutate(pass = ifelse(kor + math + eng >= 240, "합
격", "불합격"))
> chapter5_37
   no ban kor math eng   pass
1   1   2  78   99  80   합격
2   2   3  98   70  70 불합격
3   3   1  90   85  88   합격
4   4   4  58   64  99 불합격
5   5   3  88   95  80   합격
6   6   2  77   69  99   합격
7   7   1  69   85  99   합격
8   8   4  90   99  70   합격
9   9   4  98   88  80   합격
10 10   3  70   70  98 불합격
```

① process_5 데이터프레임에서 만약에 kor, math, eng 변수의 합계가 240점 이상이면 합격, 그
렇지 않으면 불합격을 pass 변수에 대입한다.

실습하기 **mutate() 함수 7**

mutate() 함수를 이용하여 process_5 데이터프레임의 kor, math, eng 변수들의 평균이 80 이상이면 "합격", 그렇지 않으면 "불합격"을 pass1 변수에 추가하고 chapter5_38 데이터프레임에 저장한 후 결과를 확인하시오.

```
> chapter5_38 <- mutate(process_5, pass1 = ifelse((kor + math + eng) / 3 >= 80, "합격", "불합격"))
> chapter5_38
   no ban kor math eng  pass1
1   1   2  78   99  80  합격
2   2   3  98   70  70  불합격
3   3   1  90   85  88  합격
4   4   4  58   64  99  불합격
5   5   3  88   95  80  합격
6   6   2  77   69  99  합격
7   7   1  69   85  99  합격
8   8   4  90   99  70  합격
9   9   4  98   88  80  합격
10 10   3  70   70  98  불합격
```

① process_5 데이터프레임에서 만약에 kor, math, eng 변수의 평균가 80점 이상이면 합격, 그렇지 않으면 불합격을 pass1 변수에 대입한다.

실습하기 mutate() 함수 8

%>% 연산자와 mutate() 함수를 이용하여 process_5 데이터프레임의 kor, math, eng 변수들의 합계가 80 이상이면 "합격", 그렇지 않으면 "불합격"을 pass1 변수에 추가하고 chapter5_39 데이터프레임에 저장한 후 결과를 확인하시오.

```
> chapter5_39 <- process_5 %>% mutate(pass1 = ifelse((kor + math + eng) / 3 >=
80, "합격", "불합격"))
> chapter5_39
   no ban kor math eng  pass1
1   1   2  78   99  80  합격
2   2   3  98   70  70 불합격
3   3   1  90   85  88  합격
4   4   4  58   64  99 불합격
5   5   3  88   95  80  합격
6   6   2  77   69  99  합격
7   7   1  69   85  99  합격
8   8   4  90   99  70  합격
9   9   4  98   88  80  합격
10 10   3  70   70  98 불합격
```

① process_5 데이터프레임에서 만약에 kor, math, eng 변수의 평균가 80점 이상이면 합격, 그렇지 않으면 불합격을 pass1 변수에 대입한다.

▸▸ 5.4   데이터 요약하기

데이터 요약하기란 데이터프레임에서 수학함수 형태의 요약함수들을 이용하여 분석을 하는 것을 말하며, summarise() 함수를 사용하고, 형식은 다음과 같다.

---

summarise(데이터프레임, 요약함수)
데이터프레임 %>% summarise(요약함수)

---

① summarise() 함수는 기본적으로 데이터프레임에서 요약함수들을 이용하여 결과를 계산할 때 사용하며 다음과 같은 함수들이 있다.

요약함수	설명
n()	행의 개수 계산
n_distinct(변수)	중복값 제거
first(변수)	첫 번째 값 계산
last(변수)	마지막 값 계산
nth(변수, n)	n번째 값 계산
sum(변수)	합계 계산
mean(변수)	평균 계산
sd(변수)	표준편차 계산
median(변수)	중앙값 계산
min(변수)	최솟값 계산
max(변수)	최댓값 계산

실습하기 데이터프레임 생성하기

"prac5_1.csv" 파일을 process_6 데이터프레임으로 저장한 후 상위 6개 데이터를 추출하시오.

```
> install.packages("dplyr")
> library(dplyr)
> process_6 <- read.csv("prac5_1.csv")
> head(process_6)
  no ban kor math eng
1  1   2  78   99  80
2  2   3  98   70  70
3  3   1  90   85  88
4  4   4  58   64  99
5  5   3  88   95  80
6  6   2  77   69  99
```

① dplyr 패키지를 설치하고 library를 실행한 후 read.csv() 함수를 이용하여 prac5_1.csv 파일을 불러와 process_6 데이터프레임을 생성한다. 그리고나서 데이터프레임이 올바르게 생성되었는지 확인하기 위해 head() 함수를 이용해서 6개의 데이터를 출력한다. 여기서 주의해야할 점은 패키지를 설치할 때는 "dplyr"처럼 쌍따옴표로 묶어야한다.

실습하기 summarise() 함수 1[요약함수 – n()]

process_6 데이터프레임 행의 개수를 계산하시오.

```
> summarise(process_6, n())
  n()
1  10

> process_6 %>% summarise(n())
  n()
1  10
```

① process_6 데이터프레임에서 행의 개수를 계산한다.

실습하기 ▸ summarise() 함수 2(요약함수 - n_distinct)

process_6 데이터프레임의 중복값을 제거하고 개수를 계산하시오.

```
> summarise(process_6, n_distinct(ban))
  n_distinct(ban)
1          4

> process_6 %>% summarise(n_distinct(ban))
  n_distinct(ban)
1          4
```

① process_6 데이터프레임에서 ban 변수의 중복값을 제거하고 결과를 나타내준다.

실습하기 ▸ summarise() 함수 3(요약함수 - first)

process_6 데이터프레임의 첫 번째 값을 계산하시오.

```
> summarise(process_6, first(kor))
  first(kor)
1      78

> process_6 %>% summarise(first(kor))
  first(kor)
1      78
```

① process_6 데이터프레임에서 kor 변수의 첫 번째 값을 나타내준다.

실습하기 summarise() 함수 4[요약함수 – last]

process_6 데이터프레임의 마지막 값을 계산하시오.

```
> summarise(process_6, last(kor))
  last(kor)
1      70

> process_6 %>% summarise(last(kor))
  last(kor)
1      70
```

① process_6 데이터프레임에서 kor 변수의 마지막 값을 나타내준다.

실습하기 summarise() 함수 5[요약함수 – nth]

process_6 데이터프레임의 7번째 값을 계산하시오.

```
> summarise(process_6, nth(kor, 7))
  nth(kor, 7)
1       69

> process_6 %>% summarise(nth(kor, 7))
  nth(kor, 7)
1       69
```

① process_6 데이터프레임에서 kor 변수의 7번째 값을 나타내준다.

🖥 **실습하기**   summarise() 함수 6(요약함수 - sum)

process_6 데이터프레임 kor 변수의 합계를 계산하시오.

```
> summarise(process_6, sum(kor))
  sum(kor)
1     816

> process_6 %>% summarise(sum(kor))
  sum(kor)
1     816
```

① process_6 데이터프레임에서 kor 변수의 합계를 계산한다.

🖥 **실습하기**   summarise() 함수 7(요약함수 - sum)

%>% 연산자를 함수를 이용해서 process_6 데이터프레임 kor, math, eng 변수들의 합계
를 계산하시오.

```
> summarise(process_6, sum(kor), sum(math), sum(eng))
  sum(kor) sum(math) sum(eng)
1     816      824      863

> process_6 %>% summarise(sum(kor), sum(math), sum(eng))
  sum(kor) sum(math) sum(eng)
1     816      824      863
```

① process_6 데이터프레임에서 kor, math, eng 변수들의 합계를 계산한다.

🖥 **실습하기** 　summarise() 함수 8(요약함수 - mean)

process_6 데이터프레임 kor 변수의 평균을 계산하시오.

```
> summarise(process_6, mean(kor))
  mean(kor)
1    81.6

> process_6 %>% summarise(mean(kor))
  mean(kor)
1    81.6
```

① process_6 데이터프레임에서 kor 변수의 평균을 계산한다.

🖥 **실습하기** 　summarise() 함수 9(요약함수 - mean)

%>% 연산자를 함수를 이용해서 process_6 데이터프레임 kor, math, eng 변수들의 평균을 계산하시오.

```
> summarise(process_6, mean(kor), mean(math), mean(eng))
  mean(kor) mean(math) mean(eng)
1    81.6     82.4      86.3

> process_6 %>% summarise(mean(kor), mean(math), mean(eng))
  mean(kor) mean(math) mean(eng)
1    81.6     82.4      86.3
```

① process_6 데이터프레임에서 kor, math, eng 변수들의 평균을 계산한다.

실습하기   summarise() 함수 10(요약함수 - sd)

process_6 데이터프레임 kor 변수의 표준편차를 계산하시오.

```
> summarise(process_6, sd(kor))
  sd(kor)
1 13.35165

> process_6 %>% summarise(sd(kor))
  sd(kor)
1 13.35165
```

① process_6 데이터프레임에서 kor 변수의 표준편차를 계산한다.

실습하기   summarise() 함수 11(요약함수 - sd)

process_6 데이터프레임 kor, math, eng 변수들의 표준편차를 계산하시오.

```
> summarise(process_6, sd(kor), sd(math), sd(eng))
  sd(kor) sd(math)  sd(eng)
1 13.35165 13.25142 11.89818

> process_6 %>% summarise(sd(kor), sd(math), sd(eng))
  sd(kor) sd(math)  sd(eng)
1 13.35165 13.25142 11.89818
```

① process_6 데이터프레임에서 kor, math, eng 변수들의 표준편차를 계산한다.

실습하기   summarise() 함수 12(요약함수 - median)

process_6 데이터프레임 kor 변수의 중앙값을 계산하시오.

```
> summarise(process_6, median(kor))
  median(kor)
1        83

> process_6 %>% summarise(median(kor))
  median(kor)
1        83
```

① process_6 데이터프레임에서 kor 변수의 중앙값을 계산한다.

실습하기   summarise() 함수 13(요약함수 - median)

process_6 데이터프레임 kor, math, eng 변수들의 중앙값을 계산하시오.

```
> summarise(process_6, median(kor), median(math), median(eng))
  median(kor) median(math) median(eng)
1        83          85          84

> process_6 %>% summarise(median(kor), median(math),
  median(eng))
  median(kor) median(math) median(eng)
1        83          85          84
```

① process_6 데이터프레임에서 kor, math, eng 변수의 중앙값을 계산한다.

🖥 **실습하기**   summarise() 함수 14(요약함수 - min)

process_6 데이터프레임 kor 변수의 최솟값 계산하시오.

```
> summarise(process_6, min(kor))
  min(kor)
1    58


> process_6 %>% summarise(min(kor))
  min(kor)
1    58
```

① process_6 데이터프레임에서 kor 변수의 최솟값을 계산한다.

🖥 **실습하기**   summarise() 함수 15(요약함수 - min)

process_6 데이터프레임 kor, math, eng 변수들의 최솟값 계산하시오.

```
> summarise(process_6, min(kor), min(math), min(eng))
  min(kor) min(math) min(eng)
1    58       64       70


> process_6 %>% summarise(min(kor), min(math), min(eng))
  min(kor) min(math) min(eng)
1    58       64       70
```

① process_6 데이터프레임에서 kor, math, eng 변수들의 최솟값을 계산한다.

실습하기 summarise() 함수 16(요약함수 - max)

process_6 데이터프레임 kor 변수의 최댓값 계산하시오.

```
> summarise(process_6, max(kor))
  max(kor)
1      98


> process_6 %>% summarise(max(kor))
  max(kor)
1      98
```

실습하기 summarise() 함수 17(요약함수 - max)

process_6 데이터프레임 kor, math, eng 변수들의 최솟값 계산하시오.

```
> summarise(process_6, max(kor), max(math), max(eng))
  max(kor) max(math) max(eng)
1      98       99       99


> process_6 %>% summarise(max(kor), max(math), max(eng))
  max(kor) max(math) max(eng)
1      98       99       99
```

① process_6 데이터프레임에서 kor 변수의 최댓값을 계산한다.
② process_6 데이터프레임에서 kor, math, eng 변수의 최댓값을 계산한다.

▸▸ 5.5   데이터 그룹화 하기

데이터 그룹화하기란 데이터프레임에서 그룹 형태의 변수로 이루어진 데이터를 묶은 후에 통계값을 계산하는 것을 말하며, group_by() 함수를 사용하고, 형식은 다음과 같다.

---

group_by(데이터프레임, 변수) %>% summarise(요약함수)
데이터프레임 %>% group_by(변수) %>% summarise(요약함수)

🖥️ 실습하기   데이터프레임 생성하기

"prac5_2.csv" 파일을 process_7 데이터프레임으로 저장한 후 상위 6개 데이터를 추출하시오.

```
> install.packages("dplyr")
> library(dplyr)
> process_7 <- read.csv("prac5_2.csv")
> head(process_7)
  no ban kor math eng
1 1   2  78   99  80
2 2   3  98   70  70
3 3   1  90   85  88
4 4   4  58   64  99
5 5   3  88   95  80
6 6   2  77   69  99
```

① dplyr 패키지를 설치하고 library를 실행한 후 read.csv() 함수를 이용하여 prac5_2.csv 파일을 불러와 process_7 데이터프레임을 생성한다. 그리고나서 데이터프레임이 올바르게 생성되었는지 확인하기 위해 head() 함수를 이용해서 6개의 데이터를 출력한다. 여기서 주의해야할 점은 패키지를 설치할 때는 "dplyr"처럼 쌍따옴표로 묶어야한다.

실습하기   group_by() 함수 1(요약함수 - sum)

process_7 데이터프레임의 ban 변수를 그룹으로 묶은 후 kor 변수의 합계를 계산하시오.

```
> group_by(process_7, ban) %>% summarise(sum(kor))
# A tibble: 4 × 2
    ban `sum(kor)`
  <int>      <int>
1     1        329
2     2        318
3     3        601
4     4        401

> process_7 %>% group_by(ban) %>% summarise(sum(kor))
# A tibble: 4 × 2
    ban `sum(kor)`
  <int>      <int>
1     1        329
2     2        318
3     3        601
4     4        401
```

① process_7 데이터프레임에서 ban 변수를 기준으로 그룹화한 후 kor 변수의 합계를 계산한다.

실습하기   group_by() 함수 2(요약함수 - sum)

process_7 데이터프레임의 ban 변수를 그룹으로 묶은 후 kor, math, eng 변수들의 합계를 계산하시오.

```
> group_by(process_7, ban) %>% summarise(sum(kor), sum(math),
  sum(eng))
# A tibble: 4 × 4
    ban `sum(kor)` `sum(math)` `sum(eng)`
  <int>    <int>      <int>      <int>
1    1      329        353        339
2    2      318        326        357
3    3      601        563        610
4    4      401        435        412

> process_7 %>% group_by(ban) %>% summarise(sum(kor),
  sum(math), sum(eng))
# A tibble: 4 × 4
    ban `sum(kor)` `sum(math)` `sum(eng)`
  <int>    <int>      <int>      <int>
1    1      329        353        339
2    2      318        326        357
3    3      601        563        610
4    4      401        435        412
```

① process_7 데이터프레임에서 ban 변수를 기준으로 그룹화한 후 kor, math, eng 변수의 합계를 계산한다.

실습하기   group_by() 함수 3(요약함수 - mean)

process_7 데이터프레임의 ban 변수를 그룹으로 묶은 후 kor 변수의 평균을 계산하시오.

```
> group_by(process_7, ban) %>% summarise(mean(kor))
# A tibble: 4 × 2
    ban `mean(kor)`
  <int>      <dbl>
1     1       82.2
2     2       79.5
3     3       85.9
4     4       80.2

> process_7 %>% group_by(ban) %>% summarise(mean(kor))
# A tibble: 4 × 2
    ban `mean(kor)`
  <int>      <dbl>
1     1       82.2
2     2       79.5
3     3       85.9
4     4       80.2
```

① process_7 데이터프레임에서 ban 변수를 기준으로 그룹화한 후 kor 변수의 평균을 계산한다.

실습하기 group_by() 함수 4(요약함수 - mean)

process_7 데이터프레임의 ban 변수를 그룹으로 묶은 후 kor, math, eng 변수들의 평균을 계산하시오.

```
> group_by(process_7, ban) %>% summarise(mean(kor),
  mean(math), mean(eng))
# A tibble: 4 × 4
   ban `mean(kor)` `mean(math)` `mean(eng)`
  <int>     <dbl>       <dbl>        <dbl>
1   1      82.2        88.2         84.8
2   2      79.5        81.5         89.2
3   3      85.9        80.4         87.1
4   4      80.2        87           82.4

> process_7 %>% group_by(ban) %>% summarise(mean(kor),
  mean(math), mean(eng))
# A tibble: 4 × 4
   ban `mean(kor)` `mean(math)` `mean(eng)`
  <int>     <dbl>       <dbl>        <dbl>
1   1      82.2        88.2         84.8
2   2      79.5        81.5         89.2
3   3      85.9        80.4         87.1
4   4      80.2        87           82.4
```

① process_7 데이터프레임에서 ban 변수를 기준으로 그룹화한 후 kor, math, eng 변수의 평균을 계산한다.

▸▸ 5.6 데이터 결합하기

데이터 결합하기란 여러 개의 데이터프레임을 하나의 데이터프레임으로 결합하는 것이며, 열을 결합하는 left_join() 와 행을 결합하는 bind_rows() 함수가 있으며, 사용법은 다음과 같다.

> left_join(데이터프레임1, 데이터프레임2, …, 데이터프레임n, by = 결합기준변수)
> bind_rows(데이터프레임1, 데이터프레임2, …, 데이터프레임n)

실습하기 데이터프레임 생성하기

"prac5_3.csv" 파일을 process_8 데이터프레임으로 저장한 후 상위 6개 데이터를 추출하시오.

```
> install.packages("dplyr")
> library(dplyr)
> process_8 <- read.csv("prac5_3.csv")
> process_8
  name kor math eng
1  kim  98   88  78
2  lee  89   96  88
3 park 100   99  68

> process_9 <- read.csv("prac5_4.csv")
> process_9
  name sw
1  kim 88
2  lee 98
3 park 99
```

① dplyr 패키지를 설치하고 library를 실행한 후 read.csv() 함수를 이용하여 prac5_3.csv,
prac5_4.csv 파일을 불러와 process_8, process_9 데이터프레임을 생성한다. 그리고나서 데이
터프레임이 올바르게 생성되었는지 확인하기 위해 데이터프레임을 출력한다. 여기서 주의해야
할 점은 패키지를 설치할 때는 "dplyr"처럼 쌍따옴표로 묶어야한다.

실습하기   left_join() 함수

process_8, process_9 데이터프레임을 열로 결합하시오.

```
> chapter5_40 <- left_join(process_8, process_9, by = "name")
> chapter5_40
  name kor math eng sw
1 kim  98   88  78 88
2 lee  89   96  88 98
3 park 100  99  68 99
```

① left_join() 함수를 이용하여 process_8 과 process_9 데이터프레임을 name 변수를 기준으로
열을 결합할 수 있는데 주의할 점은 name 변수의 데이터가 일치해야하며, 변수명을 쌍따옴표
("")로 묶어줘야 한다.

실습하기   데이터프레임 생성하기

"prac5_5.csv" 파일을 process_10 데이터프레임으로 저장한 후 상위 6개 데이터를 추출
하시오.

```
> install.packages("dplyr")
> library(dplyr)
> process_10 <- read.csv("prac5_5.csv")
> process_10
  name kor math eng
1 kim  98   88  78
2 lee  89   96  88
```

```
  3 park 100  99  68

> process_11 <- read.csv("prac5_6.csv")
> process_11
  name kor math eng
1 hong  99   78  99
2 choi  90   88  88
3  na   80   98  77
```

① dplyr 패키지를 설치하고 library를 실행한 후 read.csv() 함수를 이용하여 prac5_5.csv, prac5_6.csv 파일을 불러와 process_10, process_11 데이터프레임을 생성한다. 그리고나서 데이터프레임이 올바르게 생성되었는지 확인하기 위해 데이터프레임을 출력한다. 여기서 주의해야할 점은 패키지를 설치할 때는 "dplyr"처럼 쌍따옴표로 묶어야한다.

🖥️ **실습하기** bind_rows() 함수

process_10, process_11 데이터프레임을 행으로 결합하시오.

```
> chapter5_41 <- bind_rows(process_10, process_11)
> chapter5_41
  name kor math eng
1 kim   98   88  78
2 lee   89   96  88
3 park 100   99  68
4 hong  99   78  99
5 choi  90   88  88
6  na   80   98  77
```

① bind_rows() 함수를 이용하여 process_10 과 process_11 데이터프레임을 행 결합할 수 있는데 주의할 점은 변수들이 일치해야 한다.

※ exercise5.csv 파일을 이용하여 exer5 데이터프레임을 생성한 후 다음 문제를 풀이하시오.

1. filter() 함수를 이용하여 value1 값이 90 이상인 행을 추출하시오.

2. filter() 함수를 이용하여 value2 값이 80 이하인 행을 추출하시오.

3. filter() 함수를 이용하여 value3 값이 90 이상이고, value4 값이 80 이하인 행을 추출하시오.

4. filter() 함수를 이용하여 value3 값이 90 이상이거나, value4 값이 80 이하인 행을 추출하시오.

5. select() 함수를 이용하여 no, region 열만 추출하시오.

6. arrange() 함수를 이용하여 value1, value2, value3, value4 순서대로 내림차순으로 정렬하시오.

7. mutate() 함수를 이용하여 value1, value2, value3, value4 변수들의 합계(sum), 평균 (avg) 파생변수를 생성하시오.

8. summarise() 함수를 이용하여 value1, value2, value3, value4 변수들의 합계, 평균, 표준 편차, 중앙값, 최솟값, 최댓값을 계산하시오.

9. exer5 데이터프레임에서 region 변수를 그룹으로 생성한 후 value1, value2, value3, value4 변수들의 합계, 평균을 계산하시오.

CHAPTER

6

데이터 정제

R BigData Analysis

C O N T E N T S

6.1 결측치 확인

6.2 결측치 처리

6.3 이상치 확인 및 처리

►► 6.1   결측치 확인

결측치(Missing Values)란 누락된 값 또는 비어있는 값을 의미한다. 예를 들어, 설문지 문항을 작성하지 않는 경우나, 응답할 수 없는 상황 또는 설문지를 코딩하는 과정에서 실수로 입력이 되지 않는 경우를 말한다. RStudio에서는 값이 존재하지 않고 비어있는 경우에 NA로 표기하며 정확한 분석을 위해서는 결측치 데이터가 있는지 확인한 후 어떠한 형태로 처리를 할 것 인지에 대해서 살펴보도록 한다.

prac6_1.csv 원본 데이터를 보면 입력되지 않은 공백들을 확인할 수 있다.

	A	B	C	D
1	no	kor	math	eng
2	1	78	99	80
3	2	98	70	
4	3	90		88
5	4	58	64	99
6	5	88	95	80
7	6		69	99
8	7	69	85	99
9	8	90	99	
10	9	98	88	80
11	10	70	70	98
12	11	89		88
13	12	88	88	88
14	13	99	70	
15	14		98	67
16	15	64	88	98
17	16	56	96	86
18	17	98		87
19	18		85	
20	19	99	88	77
21	20	70	77	99

6.1.1 is.na() 함수

is.na() 함수는 "결측치(na)이다"라는 의미를 나타내며, 형식은 다음과 같다.

---

is.na(데이터프레임)

🖥 **실습하기**   데이터프레임 생성하기

"prac6_1.csv" 파일을 missing_1 데이터프레임으로 저장한 후 상위 6개 데이터를 추출하시오.

```
> missing_1 <- read.csv("prac6_1.csv")
> head(missing_1)
  no kor math eng
1 1  78  99  80
2 2  98  70  NA
3 3  90  NA  88
4 4  58  64  99
5 5  88  95  80
6 6  NA  69  99
```

① read.csv() 함수를 이용하여 prac6_1.csv 파일을 불러와 missing_1 데이터프레임을 생성한다. 그리고나서 데이터프레임이 올바르게 생성되었는지 확인하기 위해 head() 함수를 이용해서 6개의 데이터를 출력한다.

🖥️ **실습하기** is.na() 함수

is.na() 함수를 이용하여 missing_1 데이터프레임의 결측치를 확인하시오.

```
> chapter6_1 <- is.na(missing_1)
> head(chapter6_1)
      no   kor  math   eng
[1,] FALSE FALSE FALSE FALSE
[2,] FALSE FALSE FALSE  TRUE
[3,] FALSE FALSE  TRUE FALSE
[4,] FALSE FALSE FALSE FALSE
[5,] FALSE FALSE FALSE FALSE
[6,] FALSE  TRUE FALSE FALSE
```

① is.na() 함수는 결측치인 값들은 TRUE, 결측치가 아닌 값들은 FALSE 로 나타내준다. missing_1 데이터프레임의 결측치가 있는지 확인한 후에 chapter6_1 데이터프레임으로 생성한 후에 head() 함수를 이용해서 6개의 결과를 확인할 수 있다.
② 일반적으로 TRUE 는 존재하는 값들의 의미로 인식하기 때문에 is.na() 함수가 결측치인 경우에 TRUE 라고 나타내준다는 점에 유의해야한다.

6.1.2 table() 함수

table() 함수는 결측치 개수를 확인할 때 사용하며, 형식은 다음과 같다.

```
table(is.na(데이터프레임))
```

🖥 **실습하기**   데이터프레임 생성하기

"prac6_1.csv" 파일을 missing_2 데이터프레임으로 저장한 후 상위 6개 데이터를 추출하시오.

```
> missing_2 <- read.csv("prac6_1.csv")
> head(missing_2)
  no kor math eng
1  1  78   99  80
2  2  98   70  NA
3  3  90   NA  88
4  4  58   64  99
5  5  88   95  80
6  6  NA   69  99
```

① read.csv() 함수를 이용하여 prac6_1.csv 파일을 불러와 missing_2 데이터프레임을 생성한다. 그리고나서 데이터프레임이 올바르게 생성되었는지 확인하기 위해 head() 함수를 이용해서 6개의 데이터를 출력한다.

🖥 **실습하기**   table() 함수

table() 함수를 이용하여 missing_2 데이터프레임의 결측치의 개수를 확인하시오.

```
> chapter6_2 <- table(is.na(missing_2))
> chapter6_2

FALSE  TRUE
  70    10
```

① table() 함수는 결측치인 값들은 TRUE, 결측치가 아닌 값들은 FALSE로 구분한 후 개수를 나타내준다. missing_2 데이터프레임의 결측치인 개수를 chapter6_2 데이터프레임으로 생성한 후에 결과를 확인할 수 있다.

6.1.3 summary() 함수

summary() 함수는 특정 변수의 결측치 개수를 확인할 때 사용하며, 형식은 다음과
같다.

summary(데이터프레임$변수명)

🖥️ 실습하기 데이터프레임 생성하기

"prac6_1.csv" 파일을 missing_2 데이터프레임으로 저장한 후 상위 6개 데이터를 추출하
시오.

```
> missing_3 <- read.csv("prac6_1.csv")
> head(missing_3)
  no kor math eng
1  1  78   99  80
2  2  98   70  NA
3  3  90   NA  88
4  4  58   64  99
5  5  88   95  80
6  6  NA   69  99
```

① read.csv() 함수를 이용하여 prac6_1.csv 파일을 불러와 missing_3 데이터프레임을 생성한다.
  그리고나서 데이터프레임이 올바르게 생성되었는지 확인하기 위해 head() 함수를 이용해서 6
  개의 데이터를 출력한다.

실습하기 summary() 함수 1

summary() 함수를 이용하여 missing_3 데이터프레임의 kor 변수 결측치 개수를 확인하시오.

```
> chapter6_3 <- summary(missing_3$kor)
> chapter6_3
  Min. 1st Qu.  Median  Mean 3rd Qu.  Max.   NA's
  56.00  70.00  88.00  82.47  98.00  99.00    3
```

① summary() 함수를 이용하여 missing_3 데이터프레임의 kor 변수의 결측치 개수를 chapter6_3 데이터프레임으로 생성한다.
② chapter6_3 결과를 확인해보면 kor 변수의 결측치(NA's)의 개수가 3개인 것을 확인할 수 있다.

실습하기 summary() 함수 2

summary() 함수를 이용하여 missing_3 데이터프레임의 math 변수 결측치 개수를 확인하시오.

```
> chapter6_4 <- summary(missing_3$math)
> chapter6_4
  Min. 1st Qu.  Median  Mean 3rd Qu.  Max.   NA's
  64.00  70.00  88.00  84.06  95.00  99.00    3
```

① summary() 함수를 이용하여 missing_3 데이터프레임의 math 변수의 결측치 개수를 chapter6_4 데이터프레임으로 생성한다.
② chapter6_4 결과를 확인해보면 math 변수의 결측치(NA's)의 개수가 3개인 것을 확인할 수 있다.

실습하기   summary() 함수 3

summary() 함수를 이용하여 missing_3 데이터프레임의 eng 변수 결측치 개수를 확인하시오.

```
> chapter6_5 <- summary(missing_3$eng)
> chapter6_5
   Min. 1st Qu.  Median   Mean 3rd Qu.   Max.   NA's
  67.00   80.00   88.00   88.31   98.25   99.00      4
```

① summary() 함수를 이용하여 missing_3 데이터프레임의 kor 변수의 결측치 개수를 chapter6_5 데이터프레임으로 생성한다.
② chapter6_5 결과를 확인해보면 eng 변수의 결측치(NA's)의 개수가 4개인 것을 확인할 수 있다.

6.1.4 !is.na() 함수

!is.na() 함수는 결측치(na)가 아니다(!)라는 의미를 나타내며, 형식은 다음과 같다.

```
!is.na(데이터프레임)
```

실습하기   데이터프레임 생성하기

"prac6_1.csv" 파일을 missing_4 데이터프레임으로 저장한 후 상위 6개 데이터를 추출하시오.

```
> missing_4 <- read.csv("prac6_1.csv")
> head(missing_4)
  no kor math eng
1  1  78   99  80
2  2  98   70  NA
```

```
3  3  90  NA  88
4  4  58  64  99
5  5  88  95  80
6  6  NA  69  99
```

① read.csv() 함수를 이용하여 prac6_1.csv 파일을 불러와 missing_4 데이터프레임을 생성한다.
그리고나서 데이터프레임이 올바르게 생성되었는지 확인하기 위해 head() 함수를 이용해서 6
개의 데이터를 출력한다.

> 실습하기 !is.na() 함수

!is.na() 함수를 이용하여 missing_4 데이터프레임의 결측치를 아닌 것을 확인하시오.

```
> chapter6_6 <- !is.na(missing_4)
> head(chapter6_6)
      no   kor  math   eng
[1,] TRUE  TRUE  TRUE  TRUE
[2,] TRUE  TRUE  TRUE FALSE
[3,] TRUE  TRUE FALSE  TRUE
[4,] TRUE  TRUE  TRUE  TRUE
[5,] TRUE  TRUE  TRUE  TRUE
[6,] TRUE FALSE  TRUE  TRUE
```

① !is.na() 함수는 결측치가 아닌 값들은 TRUE, 결측치인 아닌 값들은 FALSE로 나타내준다.
missing_4 데이터프레임의 결측치가 있는지 확인한 후에 chapter6_6 데이터프레임으로 생성
한 후에 head() 함수를 이용해서 6개의 결과를 확인할 수 있다.

6.1.5 complete.cases() 함수

complete.cases() 함수는 행단위로 케이스들이 완벽하게 구성되어 있는지 나타내주
며, 사용법은 다음과 같다.

```
complete.cases(데이터프레임)
```

🖥️ **실습하기** 데이터프레임 생성하기

"prac6_1.csv" 파일을 missing_5 데이터프레임으로 저장한 후 상위 6개 데이터를 추출하시오.

```
> missing_5 <- read.csv("prac6_1.csv")
> head(missing_5)
  no kor math eng
1  1  78   99  80
2  2  98   70  NA
3  3  90   NA  88
4  4  58   64  99
5  5  88   95  80
6  6  NA   69  99
```

① read.csv() 함수를 이용하여 prac6_1.csv 파일을 불러와 missing_5 데이터프레임을 생성한다. 그리고나서 데이터프레임이 올바르게 생성되었는지 확인하기 위해 head() 함수를 이용해서 6개의 데이터를 출력한다.

🖥️ **실습하기** complete.cases() 함수

complete.cases() 함수를 이용하여 missing_5 데이터프레임을 행단위로 결측치를 확인하시오.

```
> chapter6_7 <- complete.cases(missing_5)
> chapter6_7
 [1]  TRUE FALSE FALSE  TRUE  TRUE FALSE  TRUE FALSE
 [9]  TRUE  TRUE FALSE  TRUE FALSE FALSE  TRUE  TRUE
[17] FALSE FALSE  TRUE  TRUE
```

① complete.cases() 함수는 행단위로 모든 데이터가 있으면 TRUE, 결측치가 하나라도 있는 경우
는 FALSE 로 나타내준다. missing_5 데이터프레임의 결측치가 있는지 chapter6_7 데이터프레
임을 생성한 후에 결과를 확인할 수 있다.

6.1.6 na.omit() 함수

na.omit() 함수는 결측치가 있는 모든 행들을 제거해주며, 형식은 다음과 같다.

---

na.omit(데이터프레임)

🖥️ 실습하기   **데이터프레임 생성하기**

"prac6_1.csv" 파일을 missing_6 데이터프레임으로 저장한 후 상위 6개 데이터를 추출하
시오.

```
> missing_6 <- read.csv("prac6_1.csv")
> head(missing_6)
  no kor math eng
1  1  78   99  80
2  2  98   70  NA
3  3  90   NA  88
4  4  58   64  99
5  5  88   95  80
6  6  NA   69  99
```

① read.csv() 함수를 이용하여 prac6_1.csv 파일을 불러와 missing_6 데이터프레임을 생성한다.
그리고나서 데이터프레임이 올바르게 생성되었는지 확인하기 위해 head() 함수를 이용해서 6
개의 데이터를 출력한다.

![실습하기] na.omit() 함수

na.omit() 함수를 이용하여 missing_6 데이터프레임의 결측치가 있는 모든 행을 제거하시오.

```
> chapter6_8 <- na.omit(missing_6)
> chapter6_8
   no kor math eng
1   1  78   99  80
4   4  58   64  99
5   5  88   95  80
7   7  69   85  99
9   9  98   88  80
10 10  70   70  98
12 12  88   88  88
15 15  64   88  98
16 16  56   96  86
19 19  99   88  77
20 20  70   77  99
```

① na.omit() 함수는 결측치가 있는 모든 행을 제외하고 나타내준다. missing_6 데이터프레임의 결측치가 있는지 chapter6_8 데이터프레임으로 생성한 후에 결과를 확인할 수 있다.

6.1.7 filter() 함수

filter() 함수는 행을 추출할 때 사용하는 함수이며, !is.na() 함수와 같이 사용해서 결측치를 제거할 수 있으며, 사용법은 다음과 같다.

```
filter(데이터프레임, !is.na(변수명))
데이터프레임 %>% filter(!is.na(변수명))
```

🖥️ **실습하기**   데이터프레임 생성하기

"prac6_1.csv" 파일을 missing_7 데이터프레임으로 저장한 후 상위 6개 데이터를 추출하시오.

```
> missing_7 <- read.csv("prac6_1.csv")
> head(missing_7)
  no kor math eng
1  1  78   99  80
2  2  98   70  NA
3  3  90   NA  88
4  4  58   64  99
5  5  88   95  80
6  6  NA   69  99
```

① read.csv() 함수를 이용하여 prac6_1.csv 파일을 불러와 missing_7 데이터프레임을 생성한다.
   그리고나서 데이터프레임이 올바르게 생성되었는지 확인하기 위해 head() 함수를 이용해서 6
   개의 데이터를 출력한다.

🖥️ **실습하기**   filter() 함수 1

filter() 함수를 이용하여 missing_7 데이터프레임에서 kor 변수의 결측치가 아닌 행들을
추출하시오.

```
> chapter6_9 <- filter(missing_7, !is.na(kor))
> head(chapter6_9)
  no kor math eng
1  1  78   99  80
2  2  98   70  NA
3  3  90   NA  88
4  4  58   64  99
5  5  88   95  80
6  7  69   85  99
```

```
> chapter6_10 <- missing_7 %>% filter(!is.na(kor))
> head(chapter6_10)
  no kor math eng
1 1  78  99  80
2 2  98  70  NA
3 3  90  NA  88
4 4  58  64  99
5 5  88  95  80
6 7  69  85  99
```

① filter() 함수를 이용하여 missing_7 데이터프레임에서 kor 변수가 결측치가 아닌 행들을 데이터 프레임으로 생성한 후 head() 함수를 이용해서 6개의 결과를 보여준다.

실습하기 filter() 함수 2

filter() 함수를 이용하여 missing_7 데이터프레임에서 math 변수의 결측치가 아닌 행들을 추출하시오.

```
> chapter6_11 <- filter(missing_7, !is.na(math))
> head(chapter6_11)
  no kor math eng
1 1  78  99  80
2 2  98  70  NA
3 4  58  64  99
4 5  88  95  80
5 6  NA  69  99
6 7  69  85  99

> chapter6_12 <- missing_7 %>% filter(!is.na(math))
> head(chapter6_12)
  no kor math eng
1 1  78  99  80
2 2  98  70  NA
```

```
3  4  58   64  99
4  5  88   95  80
5  6  NA   69  99
6  7  69   85  99
```

① filter() 함수를 이용하여 missing_7 데이터프레임에서 math 변수가 결측치가 아닌 행들을 데이
터프레임으로 생성한 후 head() 함수를 이용해서 6개의 결과를 보여준다.

🖥️ **실습하기**   filter() 함수 3

filter() 함수를 이용하여 missing_7 데이터프레임에서 eng 변수의 결측치가 아닌 행들을
추출하시오.

```
> chapter6_13 <- filter(missing_7, !is.na(eng))
> head(chapter6_13)
  no kor math eng
1  1  78   99  80
2  3  90   NA  88
3  4  58   64  99
4  5  88   95  80
5  6  NA   69  99
6  7  69   85  99

> chapter6_14 <- missing_7 %>% filter(!is.na(eng))
> head(chapter6_14)
  no kor math eng
1  1  78   99  80
2  3  90   NA  88
3  4  58   64  99
4  5  88   95  80
5  6  NA   69  99
6  7  69   85  99
```

① filter() 함수를 이용하여 missing_7 데이터프레임에서 eng 변수가 결측치가 아닌 행들을 데이
터프레임으로 생성한 후 head() 함수를 이용해서 6개의 결과를 보여준다.

▸▸ 6.2   결측치 처리

6.2.1 na.rm = T 함수

na.rm = T 함수는 결측치를 제거하고 난 후에 통계량을 계산할 수 있으며, 형식은 다음과 같다.

> 통계함수(데이터프레임$변수명, na.rm = T)

🖥 **실습하기**   데이터프레임 생성하기

"prac6_1.csv" 파일을 missing_8 데이터프레임으로 저장한 후 상위 6개 데이터를 추출하시오.

```
> missing_8 <- read.csv("prac6_1.csv")
> head(missing_8)
 no kor math eng
1 1 78  99 80
2 2 98  70 NA
3 3 90  NA 88
4 4 58  64 99
5 5 88  95 80
6 6 NA  69 99
```

① read.csv() 함수를 이용하여 prac6_1.csv 파일을 불러와 missing_8 데이터프레임을 생성한다. 그리고나서 데이터프레임이 올바르게 생성되었는지 확인하기 위해 head() 함수를 이용해서 6개의 데이터를 출력한다.

📟 **실습하기** na.rm = T 함수 1

na.rm() 함수를 이용하여 missing_8 데이터프레임의 kor, math, eng 변수들의 결측치를 제거한 후 최댓값을 계산하시오.

```
> chapter6_15 <- max(missing_8$kor, na.rm = T)        ①
> chapter6_15
[1] 99

> chapter6_16 <- max(missing_8$math, na.rm = T)       ②
> chapter6_16
[1] 99

> chapter6_17 <- max(missing_8$eng, na.rm = T)        ③
> chapter6_17
[1] 99
```

① na.rm = T 함수는 결측치가 있는 값들을 제거하고 kor 변수의 최댓값을 계산한 후 chapter6_15 데이터프레임으로 생성한 결과를 보여준다.
② na.rm = T 함수는 결측치가 있는 값들을 제거하고 math 변수의 최댓값을 계산한 후 chapter6_16 데이터프레임으로 생성한 결과를 보여준다.
③ na.rm = T 함수는 결측치가 있는 값들을 제거하고 eng 변수의 최댓값을 계산한 후 chapter6_17 데이터프레임으로 생성한 결과를 보여준다.

📟 **실습하기** na.rm = T 함수 2

na.rm() 함수를 이용하여 missing_8 데이터프레임의 kor, math, eng 변수들의 결측치를 제거한 후 최솟값을 계산하시오.

```
> chapter6_18 <- min(missing_8$kor, na.rm = T)        ①
> chapter6_18
[1] 56
```

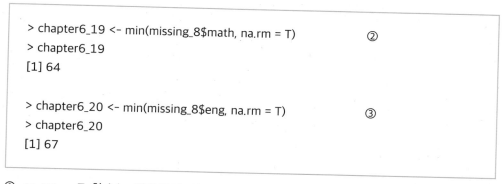

```
> chapter6_19 <- min(missing_8$math, na.rm = T)                    ②
> chapter6_19
[1] 64


> chapter6_20 <- min(missing_8$eng, na.rm = T)                     ③
> chapter6_20
[1] 67
```

① na.rm = T 함수는 결측치가 있는 값들을 제거하고 kor 변수의 최솟값을 계산한 후 chapter6_18 데이터프레임으로 생성한 결과를 보여준다.

② na.rm = T 함수는 결측치가 있는 값들을 제거하고 math 변수의 최솟값을 계산한 후 chapter6_19 데이터프레임으로 생성한 결과를 보여준다.

③ na.rm = T 함수는 결측치가 있는 값들을 제거하고 eng 변수의 최솟값을 계산한 후 chapter6_20 데이터프레임으로 생성한 결과를 보여준다.

실습하기   na.rm = T 함수 3

na.rm() 함수를 이용하여 missing_8 데이터프레임의 kor, math, eng 변수들의 결측치를 제거한 후 합계를 계산하시오.

```
> chapter6_21 <- sum(missing_8$kor, na.rm = T)                     ①
> chapter6_21
[1] 1402


> chapter6_22 <- sum(missing_8$math, na.rm = T)                    ②
> chapter6_22
[1] 1429


> chapter6_23 <- sum(missing_8$eng, na.rm = T)                     ③
> chapter6_23
[1] 1413
```

① na.rm = T 함수는 결측치가 있는 값들을 제거하고 kor 변수의 합계를 계산한 후 chapter6_21 데이터프레임으로 생성한 결과를 보여준다.

② na.rm = T 함수는 결측치가 있는 값들을 제거하고 math 변수의 합계를 계산한 후 chapter6_22 데이터프레임으로 생성한 결과를 보여준다.

③ na.rm = T 함수는 결측치가 있는 값들을 제거하고 eng 변수의 합계를 계산한 후 chapter6_23 데이터프레임으로 생성한 결과를 보여준다.

실습하기   na.rm = T 함수 4

na.rm() 함수를 이용하여 missing_8 데이터프레임의 kor, math, eng 변수들의 결측치를 제거한 후 평균을 계산하시오.

```
> chapter6_24 <- mean(missing_8$kor, na.rm = T)        ①
> chapter6_24
[1] 82.47059


> chapter6_25 <- mean(missing_8$math, na.rm = T)       ②
> chapter6_25
[1] 84.05882


> chapter6_26 <- mean(missing_8$eng, na.rm = T)        ③
> chapter6_26
[1] 88.3125
```

① na.rm = T 함수는 결측치가 있는 값들을 제거하고 kor 변수의 평균을 계산한 후 chapter6_24 데이터프레임으로 생성한 결과를 보여준다.

② na.rm = T 함수는 결측치가 있는 값들을 제거하고 math 변수의 평균을 계산한 후 chapter6_25 데이터프레임으로 생성한 결과를 보여준다.

③ na.rm = T 함수는 결측치가 있는 값들을 제거하고 eng 변수의 평균을 계산한 후 chapter6_26 데이터프레임으로 생성한 결과를 보여준다.

6.2.2 결측치를 평균값으로 변경

데이터의 개수가 작을 경우에는 일반적으로 결측치를 평균값으로 변경한 후에 분석을 하면 되는데, 조건식을 이용해서 결측치 값이면 평균값으로 변경하고 값이 존재하면 그대로 사용하면 된다.

실습하기 데이터프레임 생성하기

"prac6_1.csv" 파일을 missing_9 데이터프레임으로 저장한 후 상위 6개 데이터를 추출하시오.

```
> missing_9 <- read.csv("prac6_1.csv")
> head(missing_9)
  no kor math eng
1  1  78   99  80
2  2  98   70  NA
3  3  90   NA  88
4  4  58   64  99
5  5  88   95  80
6  6  NA   69  99
```

① read.csv() 함수를 이용하여 prac6_1.csv 파일을 불러와 missing_9 데이터프레임을 생성한다. 그리고나서 데이터프레임이 올바르게 생성되었는지 확인하기 위해 head() 함수를 이용해서 6개의 데이터를 출력한다.

![실습하기] kor 변수 값을 평균값으로 변경

missing_9 데이터프레임의 kor 변수의 결측치를 평균값으로 변경하시오.

```
> mean(missing_9$kor, na.rm = T)                                        ①
[1] 82.47059

> missing_9$kor <- ifelse(is.na(missing_9$kor), 82, missing_9$kor)      ②

> head(missing_9)                                                        ③
  no kor math eng
1  1  78   99  80
2  2  98   70  NA
3  3  90   NA  88
4  4  58   64  99
5  5  88   95  80
6  6  82   69  99

> mean(missing_9$kor)                                                    ④
[1] 82.4
```

① mean(), na.rm = T 함수를 이용해서 kor 변수의 결측치를 제거하고 평균값을 계산한다.

② 만약에 missing_9 데이터프레임의 kor 변수 값이 결측치이면 82점, 그렇지 않으면 kor 변수의 값을 missing_9 데이터프레임의 kor 변수에 대입한다.

③ head() 함수를 이용하여 missing_9 데이터프레임의 6개의 데이터를 확인해보면 결측치(NA) 값이 82점으로 변경된 것을 확인할 수 있다.

④ missing_9 데이터프레임 kor 변수의 평균을 계산해보면 결측치를 평균으로 변경하기 전과 약간의 차이가 있는 것을 확인할 수 있다.

실습하기   math 변수 값을 평균값으로 변경

missing_9 데이터프레임의 math 변수의 결측치를 평균값으로 변경하시오.

```
> mean(missing_9$math, na.rm = T)                                         ①
[1] 84.05882

> missing_9$math <- ifelse(is.na(missing_9$math), 84, missing_9$math)②
> head(missing_9)                                                        ③
  no kor math eng
1  1  78   99 80
2  2  98   70 NA
3  3  90   84 88
4  4  58   64 99
5  5  88   95 80
6  6  82   69 99

> mean(missing_9$math)                                                   ④
[1] 84.05
```

① mean(), na.rm = T 함수를 이용해서 math 변수의 결측치를 제거하고 평균값을 계산한다.

② 만약에 missing_9 데이터프레임의 math 변수 값이 결측치이면 84점, 그렇지 않으면 math 변수의 값을 missing_9 데이터프레임의 math 변수에 대입한다.

③ head() 함수를 이용하여 missing_9 데이터프레임의 6개의 데이터를 확인해보면 결측치(NA) 값이 84점으로 변경된 것을 확인할 수 있다.

④ missing_9 데이터프레임 math 변수의 평균을 계산해보면 결측치를 평균으로 변경하기 전과 약간의 차이가 있는 것을 확인할 수 있다.

실습하기 eng 변수 값을 평균값으로 변경

missing_9 데이터프레임의 eng 변수의 결측치를 평균값으로 변경하시오.

```
> mean(missing_9$eng, na.rm = T)                              ①
[1] 88.3125

> missing_9$eng <- ifelse(is.na(missing_9$eng), 88, missing_9$eng)  ②
> head(missing_9)                                            ③
  no kor math eng
1  1  78  99  80
2  2  98  70  88
3  3  90  84  88
4  4  58  64  99
5  5  88  95  80
6  6  82  69  99

> mean(missing_9$eng)                                        ④
[1] 88.25
```

① mean(), na.rm = T 함수를 이용해서 eng 변수의 결측치를 제거하고 평균값을 계산한다.
② 만약에 missing_9 데이터프레임의 eng 변수 값이 결측치이면 88점, 그렇지 않으면 eng 변수의 값을 missing_9 데이터프레임의 eng 변수에 대입한다.
③ head() 함수를 이용하여 missing_9 데이터프레임의 6개의 데이터를 확인해보면 결측치(NA) 값이 88점으로 변경된 것을 확인할 수 있다.
④ missing_9 데이터프레임 eng 변수의 평균을 계산해보면 결측치를 평균으로 변경하기 전과 약간의 차이가 있는 것을 확인할 수 있다.

▸ 6.3   이상치 확인 및 처리

이상치란 정상 범위를 크게 벗어난 값을 의미하며, 주민등록번호 8번째 1자리가 1~4를 입력해야하는데 그 이외의 값이 있는 경우와 점수의 값이 차이가 많이 나는 경우 등을 말하며, 사용법은 다음과 같다.

```
boxplot(데이터프레임$변수명)$stats
```

🖥️ **실습하기**   데이터프레임 생성하기

"prac6_2.csv" 파일을 missing_10 데이터프레임으로 저장한 후 상위 6개 데이터를 추출하시오.

```
> missing_10 <- read.csv("prac6_2.csv")
> head(missing_10)
  no ban kor math eng
1  1   2  25   98  96
2  2   3  65   70  16
3  3   1  95   65  68
4  4   4  58   20  69
5  5   3  68   65  60
6  6   2  77   69  69
```

① read.csv() 함수를 이용하여 prac6_2.csv 파일을 불러와 missing_10 데이터프레임을 생성한다. 그리고나서 데이터프레임이 올바르게 생성되었는지 확인하기 위해 head() 함수를 이용해서 6개의 데이터를 출력한다.

실습하기 **이상치 확인 1**

boxplot() 함수를 이용하여 missing_10 데이터프레임의 kor 변수의 이상치를 확인하시오.

```
> boxplot(missing_10$kor)$stats
     [,1]
[1,] 56.0
[2,] 61.0
[3,] 68.0
[4,] 69.5
[5,] 78.0
```

① boxplot 함수를 사용해서 kor를 확인해보면 [1,]은 아래쪽 극단치 경계, [2,]는 1사분위수, [3.] 은 중앙값, [4,]는 3사분위수, [5,]는 위쪽 극단치 경계를 의미하며, missing_10 데이터프레임의 kor 변수는 56보다 작은 값들과 78보다 큰 값들이 극단치임을 알 수 있다.

실습하기 **이상치 처리 1**

missing_10 데이터프레임의 kor 변수가 아래쪽 극단치 미만이거나 위쪽 극단치 초과이면 결측치, 그렇지 않으면 kor 변수값을 그대로 대입하시오.

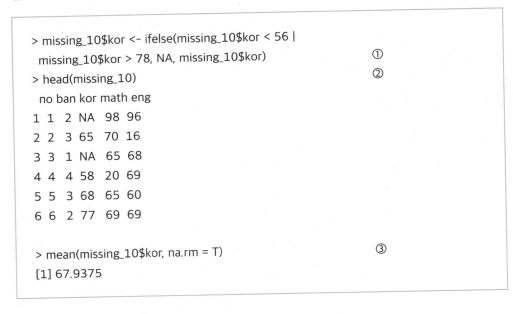

```
> missing_10$kor <- ifelse(missing_10$kor < 56 |           ①
  missing_10$kor > 78, NA, missing_10$kor)
> head(missing_10)                                         ②
 no ban kor math eng
1 1  2  NA  98  96
2 2  3  65  70  16
3 3  1  NA  65  68
4 4  4  58  20  69
5 5  3  68  65  60
6 6  2  77  69  69

> mean(missing_10$kor, na.rm = T)                          ③
[1] 67.9375
```

① 만약에 missing_10 데이터프레임의 kor 변수 값이 56보다 작거나 78보다 크면 결측치, 그렇지 않으면 kor 변수의 값을 missing_10 데이터프레임의 kor 변수에 대입한다.
② head() 함수를 이용하여 missing_10 데이터프레임의 6개의 데이터를 확인해보면 극단치 값들이 결측치(NA) 로 변경된 것을 확인할 수 있다.
③ mean(), na.rm = T 함수를 이용해서 kor 변수의 결측치를 제거하고 평균값을 계산할 수 있다.

🖥 **실습하기** 데이터프레임 생성하기

"prac6_2.csv" 파일을 missing_11 데이터프레임으로 저장한 후 상위 6개 데이터를 추출하시오.

```
> missing_11 <- read.csv("prac6_2.csv")
> head(missing_11)
  no ban kor math eng
1 1   2  25   98  96
2 2   3  65   70  16
3 3   1  95   65  68
4 4   4  58   20  69
5 5   3  68   65  60
6 6   2  77   69  69
```

① read.csv() 함수를 이용하여 prac6_2.csv 파일을 불러와 missing_11 데이터프레임을 생성한다. 그리고나서 데이터프레임이 올바르게 생성되었는지 확인하기 위해 head() 함수를 이용해서 6개의 데이터를 출력한다.

🖥 **실습하기** 이상치 확인 2

boxplot() 함수를 이용하여 missing_11 데이터프레임의 math 변수의 이상치를 확인하시오.

```
> boxplot(missing_11$math)$stats
     [,1]
[1,] 60.0
```

```
[2,] 62.5
[3,] 66.0
[4,] 68.5
[5,] 70.0
```

① boxplot 함수를 사용해서 math를 확인해보면, missing_11 데이터프레임의 math 변수는 60보다 작은 값들과 70보다 큰 값들이 극단치임을 알 수 있다.

실습하기 이상치 처리 2

missing_11 데이터프레임의 math 변수가 아래쪽 극단치 미만이거나 위쪽 극단치 초과이면 결측치, 그렇지 않으면 math 변수값을 그대로 대입하시오.

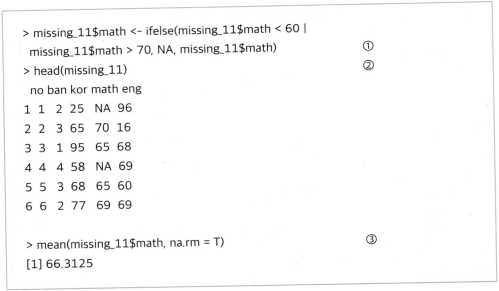

```
> missing_11$math <- ifelse(missing_11$math < 60 |     ①
  missing_11$math > 70, NA, missing_11$math)
> head(missing_11)                                      ②
  no ban kor math eng
1 1  2  25  NA  96
2 2  3  65  70  16
3 3  1  95  65  68
4 4  4  58  NA  69
5 5  3  68  65  60
6 6  2  77  69  69

> mean(missing_11$math, na.rm = T)                      ③
[1] 66.3125
```

① 만약에 missing_11 데이터프레임의 math 변수 값이 60보다 작거나 70보다 크면 결측치, 그렇지 않으면 math 변수의 값을 missing_10 데이터프레임의 math 변수에 대입한다.

② head() 함수를 이용하여 missing_11 데이터프레임의 6개의 데이터를 확인해보면 극단치 값들이 결측치(NA) 로 변경된 것을 확인할 수 있다.

③ mean(), na.rm = T 함수를 이용해서 math 변수의 결측치를 제거하고 평균값을 계산할 수 있다.

🖥 실습하기   데이터프레임 생성하기

"prac6_2.csv" 파일을 missing_12 데이터프레임으로 저장한 후 상위 6개 데이터를 추출하시오.

```
> missing_12 <- read.csv("prac6_2.csv")
> head(missing_12)
  no ban kor math eng
1 1   2  25   98  96
2 2   3  65   70  16
3 3   1  95   65  68
4 4   4  58   20  69
5 5   3  68   65  60
6 6   2  77   69  69
```

① read.csv() 함수를 이용하여 prac6_2.csv 파일을 불러와 missing_12 데이터프레임을 생성한다. 그리고나서 데이터프레임이 올바르게 생성되었는지 확인하기 위해 head() 함수를 이용해서 6개의 데이터를 출력한다.

🖥 실습하기   이상치 확인 3

boxplot() 함수를 이용하여 missing_12 데이터프레임의 eng 변수의 이상치를 확인하시오.

```
> boxplot(missing_12$eng)$stats
      [,1]
[1,] 40.0
[2,] 55.5
[3,] 60.0
[4,] 68.0
[5,] 69.0
```

① boxplot 함수를 사용해서 eng를 확인해보면, missing_12 데이터프레임의 eng 변수는 40보다 작은 값들과 69보다 큰 값들이 극단치임을 알 수 있다.

실습하기 이상치 처리 3

missing_12 데이터프레임의 eng 변수가 아래쪽 극단치 미만이거나 위쪽 극단치 초과이면
결측치, 그렇지 않으면 eng 변수값을 그대로 대입하시오.

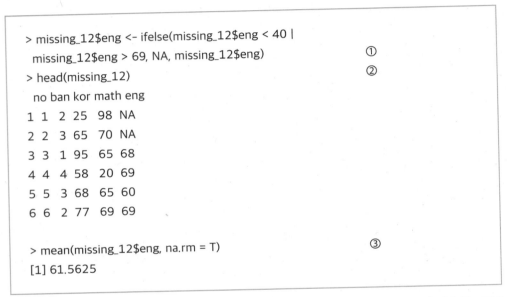

```
> missing_12$eng <- ifelse(missing_12$eng < 40 |
  missing_12$eng > 69, NA, missing_12$eng)      ①
> head(missing_12)                              ②
  no ban kor math eng
1 1  2  25   98  NA
2 2  3  65   70  NA
3 3  1  95   65  68
4 4  4  58   20  69
5 5  3  68   65  60
6 6  2  77   69  69

> mean(missing_12$eng, na.rm = T)               ③
[1] 61.5625
```

① 만약에 missing_12 데이터프레임의 eng 변수 값이 40보다 작거나 69보다 크면 결측치, 그렇
지 않으면 eng 변수의 값을 missing_12 데이터프레임의 eng 변수에 대입한다.

② head() 함수를 이용하여 missing_12 데이터프레임의 6개의 데이터를 확인해보면 극단치 값들
이 결측치(NA) 로 변경된 것을 확인할 수 있다.

③ mean(), na.rm = T 함수를 이용해서 eng 변수의 결측치를 제거하고 평균값을 계산할 수 있다.

※ **exercise6_1.csv 파일을 이용하여 다음 문제를 풀이하시오.**

1. exer6_1 데이터프레임을 생성한 후 is.na() 함수를 이용하여 결측치를 확인하시오.

2. exer6_2 데이터프레임을 생성한 후 table() 함수를 이용하여 결측치 개수를 확인하시오.

3. exer6_3 데이터프레임을 생성한 후 summary() 함수를 이용하여 value1, value2, value3 변수들의 결측치를 확인하시오.

4. exer6_4 데이터프레임을 생성한 후 complete.cases() 함수를 이용하여 행단위로 결측치를 확인하시오.

5. exer6_5 데이터프레임을 생성한 후 na.omit() 함수를 이용하여 결측치가 있는 행들을 모두 제거하시오.

6. exer6_6 데이터프레임을 생성한 후 filter(), !is.na() 함수를 이용하여 value1, value2, value3 변수들의 결측치를 제거하시오.

7. exer6_7 데이터프레임을 생성한 후 na.rm = T 함수를 이용하여 최댓값, 최솟값, 합계, 평균을 계산하시오.

8. exer6_8 데이터프레임을 생성한 후 결측치 값을 평균으로 변경한 후 value1, value2, value3 변수들의 평균을 계산하시오.

※ exercise6_2.csv 파일을 이용하여 다음 문제를 풀이하시오.

9. exer6_9 데이터프레임을 생성한 후 boxplot 함수를 이용하여 value1, value2, value3 변수들의 이상치 값을 확인하시오.

10. exer6_9 데이터프레임에서 ifelse 함수를 이용하여 이상치 값을 결측치(NA)로 변경한 후 평균을 계산하시오.

CHAPTER **7**

그래프

R BigData Analysis

C O N T E N T S

7.1   qplot() 함수

7.2   hist() 함수

7.3   plot() 함수

7.4   pie() 함수

7.5   boxplot() 함수

7.6   ggplot2() 패키지

그래프란 숫자나 문자로 되어 있는 데이터를 시각적으로 나타내주는 것을 말하며, 다양한 형태의 그래프로 나타낼 수 있다.

▸▸ 7.1 qplot() 함수

qplot() 함수는 x축 변수를 이용하여 빈도 값을 그래프 형태로 나타내주며, 사용법은 다음과 같다.

```
qplot(데이터프레임$변수명)
```

실습하기 데이터프레임 생성하기

"prac7_1.csv" 파일을 chart_1 데이터프레임으로 저장한 후 상위 6개 데이터를 추출하시오.

```
> chart_1 <- read.csv("prac7_1.csv")
> head(chart_1)
  no value1
1 1    29
2 2    23
3 3    19
4 4    17
5 5    23
6 6    24
```

① read.csv() 함수를 이용하여 prac7_1.csv 파일을 불러와 chart_1 데이터프레임을 생성한다. 그리고나서 데이터프레임이 올바르게 생성되었는지 확인하기 위해 head() 함수를 이용해서 6개의 데이터를 출력한다.

실습하기   qplot() 함수

qplot() 함수를 이용하여 chart_1 데이터프레임의 value1 변수의 빈도 값 그래프를 작성하시오.

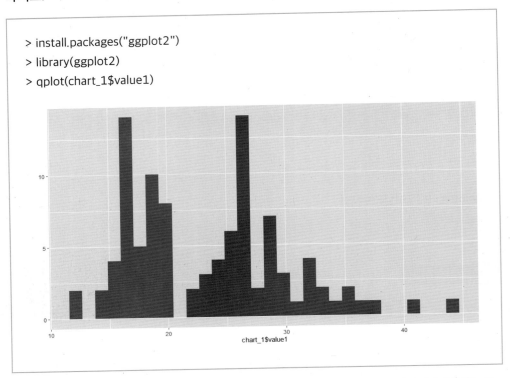

```
> install.packages("ggplot2")
> library(ggplot2)
> qplot(chart_1$value1)
```

① ggplot2 패키지를 설치하고 library를 실행한다. 여기서 주의해야할 점은 패키지를 설치할 때는 "ggplot2"처럼 쌍따옴표로 묶어야한다(이어서 실습을 진행할 때는 패키지와 라이브러리 실행은 생략해도 된다).

② qplot() 함수를 이용해서 chart_1 데이터프레임의 value1 변수를 x축으로 하는 막대그래프를 나타낼 수 있다. value1 변수는 데이터프레임 안에 하나의 변수이므로 $로 이어줘야 한다.

③ "ggplot2"를 설치한 후 연속으로 실습을 하는 경우에는 생략을 해도 된다. 하지만 새로운 환경에서 그래프를 작성할 경우를 대비하여 실습하기에 필요한 경우에는 설치하는 작업을 추가해서 작성할 것이다.

④ library는 RStudio를 사용할 때마다 실행해야한다.

▶▶ 7.2 hist() 함수

hist() 함수는 qplot() 함수와 비슷하지만 구간을 기준으로 해서 히스토그램(연속데이터 형태)으로 그래프를 작성해주며, 사용법은 다음과 같다.

---

hist(데이터프레임$변수명)

🖥 실습하기 데이터프레임 생성하기

"prac7_1.csv" 파일을 chart_2 데이터프레임으로 저장한 후 상위 6개 데이터를 추출하시오.

```
> chart_2 <- read.csv("prac7_1.csv")
> head(chart_2)
  no value1
1 1    29
2 2    23
3 3    19
4 4    17
5 5    23
6 6    24
```

① read.csv() 함수를 이용하여 prac7_1.csv 파일을 불러와 chart_2 데이터프레임을 생성한다. 그리고나서 데이터프레임이 올바르게 생성되었는지 확인하기 위해 head() 함수를 이용해서 6개의 데이터를 출력한다.

실습하기   hist() 함수

hist() 함수를 이용하여 chart_2 데이터프레임의 value1 변수의 히스토그램 그래프를 작성하시오.

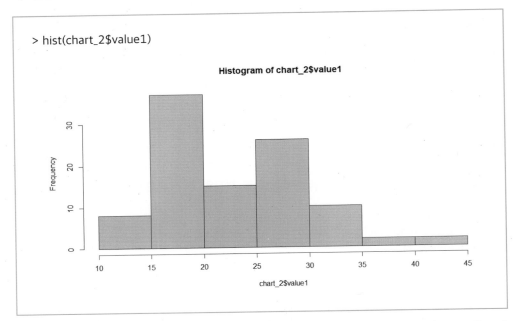

① hist() 함수를 이용해서 chart_2 데이터프레임의 value1 변수를 x축으로 하는 히스토그램 그래프를 나타낼 수 있다. 그래프 결과를 보면 x축 값이 구간으로 지정되어 있는 것을 볼 수 있으며, value1 변수는 데이터프레임 안에 하나의 변수이므로 $로 이어줘야 한다.

▸▸ 7.3 plot() 함수

plot() 함수는 x와 y 변수간의 관계를 나타내며, 점 형태의 산점도 그래프를 나타낸다. 사용법은 다음과 같다.

> plot(데이터프레임$x축, 데이터프레임$y축)

🖥️ **실습하기** 데이터프레임 생성하기

"prac7_2.csv" 파일을 chart_3 데이터프레임으로 저장한 후 상위 6개 데이터를 추출하시오.

```
> chart_3 <- read.csv("prac7_2.csv")
> head(chart_3)
  no kor math
1 1 78  99
2 2 98  70
3 3 90  85
4 4 58  64
5 5 88  95
6 6 77  69
```

① read.csv() 함수를 이용하여 prac7_2.csv 파일을 불러와 chart_3 데이터프레임을 생성한다. 그리고나서 데이터프레임이 올바르게 생성되었는지 확인하기 위해 head() 함수를 이용해서 6개의 데이터를 출력한다.

🖥️ **실습하기** plot() 함수

plot() 함수를 이용하여 chart_3 데이터프레임의 kor, math 변수를 사용한 산점도 그래프를 작성하시오.

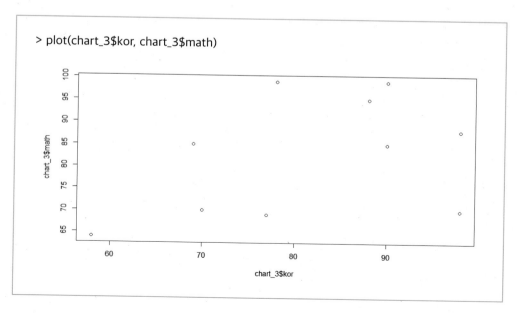

① plot() 함수를 이용해서 chart_3 데이터프레임의 kor, math 변수를 각각 x, y 축으로 하는 산점
도 그래프를 나타낼 수 있다. 그래프 결과를 보면 x축과 y축에 대응하는 위치에 점 형태의 값으
로 나타낸 것을 볼 수 있으며, kor, math 변수는 데이터프레임 안에 하나의 변수이므로 $로 이
어줘야 한다.

▸▸ 7.4   pie() 함수

pie() 함수는 성별이나 선거 기간에 지지하는 후보자에 대한 응답 같이 하나의 문항
에 대해 전체 합계가 100으로 이루어진 데이터를 원 형태의 그래프로 나타내주며, 사
용법은 다음과 같다.

```
pie(데이터프레임$변수명)
```

실습하기   데이터프레임 생성하기

"prac7_3.csv" 파일을 chart_4 데이터프레임으로 저장한 후 상위 6개 데이터를 추출하시오.

```
> chart_4 <- read.csv("prac7_3.csv")
> chart_4
  no value1
1 1    13
2 2    25
3 3    37
4 4    22
5 5     3
```

① read.csv() 함수를 이용하여 prac7_3.csv 파일을 불러와 chart_4 데이터프레임을 생성한다. 그
리고나서 데이터프레임이 올바르게 생성되었는지 확인하기 위해 head() 함수를 이용해서 6개
의 데이터를 출력한다.

실습하기   pie() 함수

pie() 함수를 이용하여 chart_4 데이터프레임의 value1 변수의 원 그래프를 작성하시오.

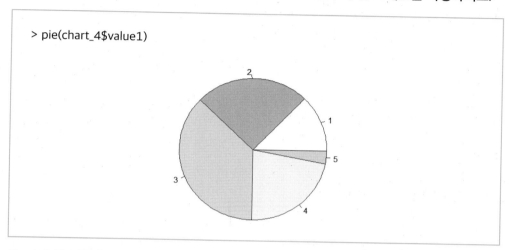

```
> pie(chart_4$value1)
```

① pie() 함수를 이용해서 chart_4 데이터프레임의 value1 변수를 이용하여 원 형태의 그래프를 나타낼 수 있다. 그래프 결과를 보면 5개의 값이 원 안에 나타나는 것을 볼 수 있으며, value1 변수는 데이터프레임 안에 하나의 변수이므로 $로 이어줘야 한다.

▸▸ 7.5   boxplot() 함수

boxplot() 함수는 정보를 요약해서 상자 형태의 그래프로 나타내주며, qplot() 함수를 이용하여 그래프의 종류와 색상을 지정할 수도 있다. 사용법은 다음과 같다.

```
boxplot(데이터프레임$변수명1, 데이터프레임$변수명2, …, 데이터프레임$변수명n)
boxplot(데이터프레임$변수명1, 데이터프레임$변수명2, …, 데이터프레임$변수명n, range = 0)
qplot(data = 데이터프레임, x = 변수명, y = 변수명, geom = "boxplot")
qplot(data = 데이터프레임, x = 변수명, y = 변수명, geom = "boxplot", color = x축 변수명)
```

실습하기   데이터프레임 생성하기

"prac7_4.csv" 파일을 chart_5 데이터프레임으로 저장한 후 상위 6개 데이터를 추출하시오.

```
> chart_5 <- read.csv("prac7_4.csv")
> head(chart_5)
  no ban kor math eng
1  1   2  25  98  96
2  2   3  65  70  16
3  3   1  95  65  68
4  4   4  58  20  69
5  5   3  68  65  60
6  6   2  77  69  69
```

① read.csv() 함수를 이용하여 prac7_4.csv 파일을 불러와 chart_5 데이터프레임을 생성한다. 그리고나서 데이터프레임이 올바르게 생성되었는지 확인하기 위해 head() 함수를 이용해서 6개의 데이터를 출력한다.

실습하기   boxplot() 함수 1

boxplot() 함수를 이용하여 chart_5 데이터프레임의 kor, math, eng 변수들의 상자그래프를 작성하시오.

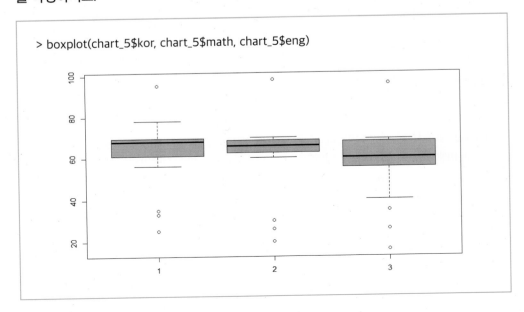

```
> boxplot(chart_5$kor, chart_5$math, chart_5$eng)
```

① boxplot() 함수를 이용해서 chart_5 데이터프레임의 kor, math, eng 변수를 이용하여 상자 그래프를 나타낼 수 있다. 그래프 결과를 보면 점선 값들은 상단 경계치와 하단 경계치 한계 값을 벗어난 이상치 값들을 나타낸다. 그리고 박스 안에 값들은 가장 많이 분포되어 있는 값들이며, 박스 위쪽은 3사분위수, 가운데 진한 선은 중앙값, 박스 아래쪽은 1사분위수를 나타낸다. kor, math, eng 변수는 데이터프레임 안에 하나의 변수이므로 $로 이어줘야 한다.

실습하기   boxplot() 함수 2

boxplot() 함수를 이용하여 chart_5 데이터프레임의 kor, math, eng 변수들의 **최솟값**과 **최댓값**을 점선으로 나타내는 상자그래프를 작성하시오.

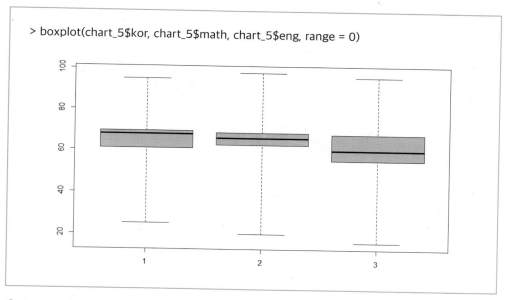

> boxplot(chart_5$kor, chart_5$math, chart_5$eng, range = 0)

① boxplot() 함수를 이용해서 chart_5 데이터프레임의 kor, math, eng 변수를 이용하여 상자 그래프를 나타낼 수 있다. range = 0 값을 추가하면 최솟값과 최댓값을 점선으로 나타내준다. 그리고 박스 안에 값들은 가장 많이 분포되어 있는 값들이며, 박스 위쪽은 3사분위수, 가운데 진한 선은 중앙값, 박스 아래쪽은 1사분위수를 나타낸다. kor, math, eng 변수는 데이터프레임 안에 하나의 변수이므로 $로 이어줘야 한다.

실습하기   데이터프레임 생성하기

"prac7_5.csv" 파일을 chart_6 데이터프레임으로 저장한 후 상위 6개 데이터를 추출하시오.

```
> chart_6 <- read.csv("prac7_5.csv")
> head(chart_6)
 X grade value1 value2
1 1    f    18     29
2 2    f    21     29
3 3    f    20     31
4 4    f    21     30
5 5    f    16     26
6 6    f    18     26
```

① read.csv() 함수를 이용하여 prac7_5.csv 파일을 불러와 chart_6 데이터프레임을 생성한다. 그
  리고나서 데이터프레임이 올바르게 생성되었는지 확인하기 위해 head() 함수를 이용해서 6개
  의 데이터를 출력한다.

![실습하기 아이콘] **실습하기** boxplot() 함수 3

boxplot() 함수를 이용하여 chart_6 데이터프레임의 grade 변수를 x축, value1 변수를 y
축으로 하는 상자그래프를 작성하시오.

```
> install.packages("ggplot2")
> library(ggplot2)
> qplot(data = chart_6, x = grade, y = value1, geom = "boxplot")
```

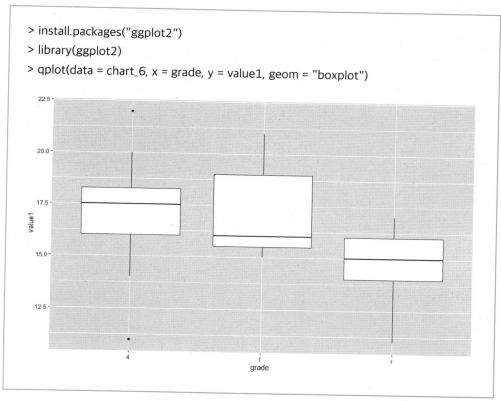

① ggplot2 패키지를 설치하고 library를 실행한다. 여기서 주의해야할 점은 패키지를 설치할 때는
"ggplot2"처럼 쌍따옴표로 묶어야한다.

② qplot() 함수를 이용해서 data에 chart_6 데이터프레임을 입력하고 grade 변수를 x축, value1
변수를 y축, geom = "boxplot"으로 상자 그래프를 나타낼 수 있다. 여기서 주의해야할 점은
"boxbplot"처럼 쌍따옴표로 묶어야 한다. 그리고 박스 안에 값들은 가장 많이 분포되어 있는
값들이며, 박스 위쪽은 3사분위수, 가운데 진한 선은 중앙값, 박스 아래쪽은 1사분위수를 나타
낸다.

실습하기 **boxplot() 함수 4**

boxplot() 함수를 이용하여 chart_6 데이터프레임의 grade 변수를 x축, value1 변수를 y축, grade 변수별 색상으로 하는 상자그래프를 작성하시오.

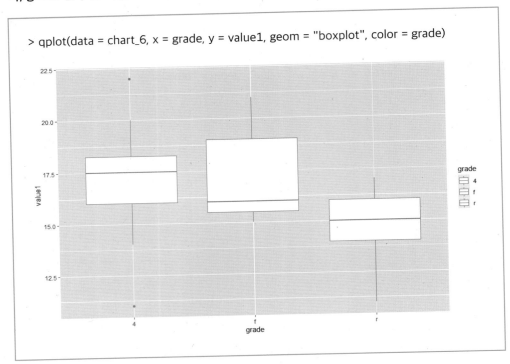

> qplot(data = chart_6, x = grade, y = value1, geom = "boxplot", color = grade)

① qplot() 함수를 이용해서 data 에 chart_6 데이터프레임을 입력하고 grade 변수를 x축, value1 변수를 y축, geom = "boxplot"으로 상자 그래프를 나타낸 후 color 값을 x축 변수로 지정하면 색상을 적용할 수 있다. 여기서 주의해야할 점은 "boxbplot"처럼 쌍따옴표로 묶어야 한다. 그리고 박스 안에 값들은 가장 많이 분포되어 있는 값들이며, 박스 위쪽은 3사분위수, 가운데 진한 선은 중앙값, 박스 아래쪽은 1사분위수를 나타낸다.

▸▸ 7.6 ggplot20 패키지

ggplot2() 패키지는 그래픽 작업을 할 때 많이 사용되며, 점, 선, 막대 등으로 쉽고 간단하게 그래프로 나타내주고, 많은 기능과 특징을 포함하고 있으며 다음과 같은 함수들이 있다.

함수	설명
geom_bar()	막대 그래프
geom_point()	점 그래프
geom_segment()	롤리팝 그래프
goem_line()	선 그래프
goem_boxplot()	상자 그래프

7.6.1 geom_bar() 함수

geom_bar() 함수는 ggplot2 패키지를 설치하면 사용할 수 있으며 빈도 값을 막대그래프로 나타낼 수 있다. 사용법은 다음과 같다.

```
ggplot(data = 데이터프레임, aes(x = 변수명)) + geom_bar()
ggplot(data = 데이터프레임, aes(x = 변수명)) + geom_bar(fill = "색상")
```

실습하기   데이터프레임 생성하기

"prac7_4.csv" 파일을 chart_7 데이터프레임으로 저장한 후 상위 6개 데이터를 추출하시오.

```
> chart_7 <- read.csv("prac7_4.csv")
> head(chart_7)
  no ban kor math eng
1  1   2  25   98  96
2  2   3  65   70  16
3  3   1  95   65  68
4  4   4  58   20  69
5  5   3  68   65  60
6  6   2  77   69  69
```

① read.csv() 함수를 이용하여 prac7_4.csv 파일을 불러와 chart_7 데이터프레임을 생성한다. 그리고나서 데이터프레임이 올바르게 생성되었는지 확인하기 위해 head() 함수를 이용해서 6개의 데이터를 출력한다.

실습하기 geom_bar() 함수 1

geom_bar() 함수를 이용하여 chart_7 데이터프레임의 ban 변수를 x축으로 하는 막대그래프를 작성하시오.

```
> install.packages("ggplot2")
> library(ggplot2)
> ggplot(data = chart_7, aes(x = ban)) + geom_bar()
```

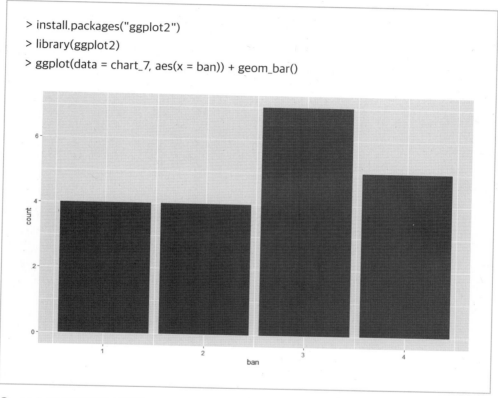

① ggplot2 패키지를 설치하고 library를 실행한다. 여기서 주의해야할 점은 패키지를 설치할 때는 "ggplot2"처럼 쌍따옴표로 묶어야한다. 또한 그래프로 나타내고자할 때에는 ggplot이라는 점을 주의해야한다.

② ggplot(data = chart_7, aes(x = ban))은 chart_7 데이터프레임에서 ban 변수를 x축으로 구성을 한 다음에 goem_bar() 함수를 이용해서 막대그래프를 만드는 원리로 작성된다.

실습하기   geom_bar() 함수 2

geom_bar() 함수를 이용하여 chart_7 데이터프레임의 ban 변수를 x축, 색상을 "skyblue"
로 채우는 막대그래프를 작성하시오.

```
> install.packages("ggplot2")
> library(ggplot2)
> ggplot(data = chart_7, aes(x = ban)) + geom_bar(fill = "skyblue")
```

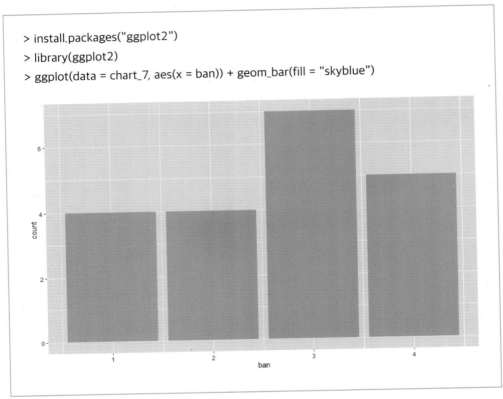

① ggplot2 패키지를 설치하고 library를 실행한다. 여기서 주의해야할 점은 패키지를 설치할 때는
   "ggplot2"처럼 쌍따옴표로 묶어야한다. 또한 그래프로 나타내고자할 때에는 ggplot이라는 점
   을 주의해야한다.
② ggplot(data = chart_7, aes(x = ban))은 chart_7 데이터프레임에서 ban 변수를 x축으로 구성
   을 한 다음에 goem_bar(fill = "skyblue") 함수를 이용해서 색상을 "skyblue" 채운 막대그래프
   를 만드는 원리로 작성된다.

7.6.2 geom_point() 함수

geom_point() 함수는 ggplot2 패키지를 설치하면 사용할 수 있는 함수이며 산점도 그래프로 나타낼 수 있다. 사용법은 다음과 같다.

---

ggplot(data = 데이터프레임, aes(x = 변수명, y = 변수명)) + geom_point()
ggplot(data = 데이터프레임, aes(x = 변수명, y = 변수명)) + geom_point(color = "색상")
ggplot(data = 데이터프레임, aes(x = 변수명, y = 변수명)) + geom_point(size = "크기")
ggplot(data = 데이터프레임, aes(x = 변수명, y = 변수명)) + geom_point(color = "색상",
size = "크기")

🖥️ **실습하기**   데이터프레임 생성하기

"prac7_6.csv" 파일을 chart_8 데이터프레임으로 저장한 후 상위 6개 데이터를 추출하시오.

```
> chart_8 <- read.csv("prac7_6.csv")
> head(chart_8)
  no kor math
1  1  78  99
2  2  98  70
3  3  90  85
4  4  58  64
5  5  88  95
6  6  77  69
```

---

① read.csv() 함수를 이용하여 prac7_6.csv 파일을 불러와 chart_8 데이터프레임을 생성한다. 그리고나서 데이터프레임이 올바르게 생성되었는지 확인하기 위해 head() 함수를 이용해서 6개의 데이터를 출력한다.

실습하기   geom_point() 함수 1

geom_point() 함수를 이용하여 chart_8 데이터프레임의 kor 변수를 x축, math 변수를 y
축으로 하는 산점도 그래프를 작성하시오.

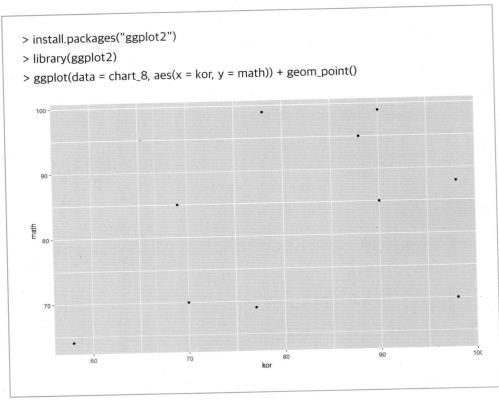

```
> install.packages("ggplot2")
> library(ggplot2)
> ggplot(data = chart_8, aes(x = kor, y = math)) + geom_point()
```

① ggplot2 패키지를 설치하고 library를 실행한다. 여기서 주의해야할 점은 패키지를 설치할 때는
   "ggplot2"처럼 쌍따옴표로 묶어야한다. 또한 그래프로 나타내고자할 때에는 ggplot이라는 점
   을 주의해야한다.

② ggplot(data = chart_8, aes(x = kor, y = math))은 chart_8 데이터프레임에서 kor 변수를 x축,
   math 변수를 y축으로 구성을 한 다음에 goem_point() 함수를 이용해서 산점도 그래프를 만드
   는 원리로 작성된다.

실습하기 geom_point() 함수 2

geom_point() 함수를 이용하여 chart_8 데이터프레임의 kor 변수를 x축, math 변수를 y축, 색상을 "skyblue"로 채우는 산점도 그래프를 작성하시오.

```
> install.packages("ggplot2")
> library(ggplot2)
> ggplot(data = chart_8, aes(x = kor, y = math)) + geom_point(color = "skyblue")
```

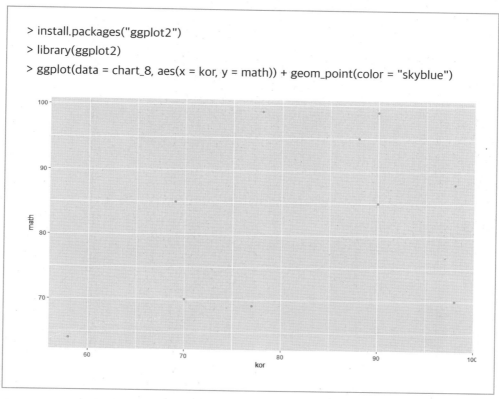

① ggplot2 패키지를 설치하고 library를 실행한다. 여기서 주의해야할 점은 패키지를 설치할 때는 "ggplot2"처럼 쌍따옴표로 묶어야한다. 또한 그래프로 나타내고자할 때에는 ggplot이라는 점을 주의해야한다.

② ggplot(data = chart_8, aes(x = kor, y = math))은 chart_8 데이터프레임에서 kor 변수를 x축, math 변수를 y축으로 구성을 한 다음에 goem_point(color = "skyblue") 함수를 이용해서 색상을 "skyblue" 채운 산점도 그래프를 만드는 원리로 작성된다.

🖥️ 실습하기   geom_point() 함수 3

geom_point() 함수를 이용하여 chart_8 데이터프레임의 kor 변수를 x축, math 변수를 y
축, 점의 크기를 5로 하는 산점도 그래프를 작성하시오.

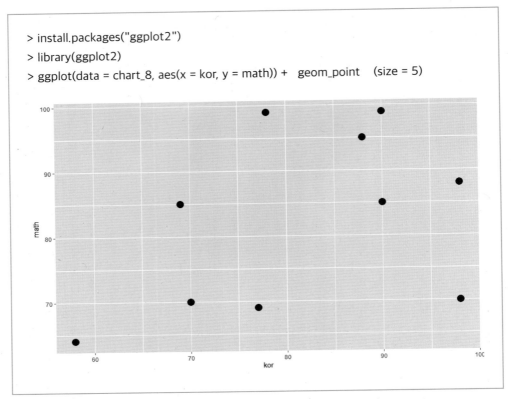

```
> install.packages("ggplot2")
> library(ggplot2)
> ggplot(data = chart_8, aes(x = kor, y = math)) +   geom_point   (size = 5)
```

① ggplot2 패키지를 설치하고 library를 실행한다. 여기서 주의해야할 점은 패키지를 설치할 때는
"ggplot2"처럼 쌍따옴표로 묶어야한다. 또한 그래프로 나타내고자할 때에는 ggplot이라는 점
을 주의해야한다.

② ggplot(data = chart_8, aes(x = kor, y = math))은 chart_8 데이터프레임에서 kor 변수를 x축,
math 변수를 y축으로 구성을 한 다음에 goem_point(size = 5) 함수를 이용해서 size를 5로 채
운 산점도 그래프를 만드는 원리로 작성된다.

실습하기   geom_point() 함수 4

geom_point() 함수를 이용하여 chart_8 데이터프레임의 kor 변수를 x축, math 변수를 y축, 색상을 "skyblue", 점의 크기를 5로 하는 산점도 그래프를 작성하시오.

```
> install.packages("ggplot2")
> library(ggplot2)
> ggplot(data = chart_8, aes(x = kor, y = math)) + geom_point     (color = "skyblue",
size = 5)
```

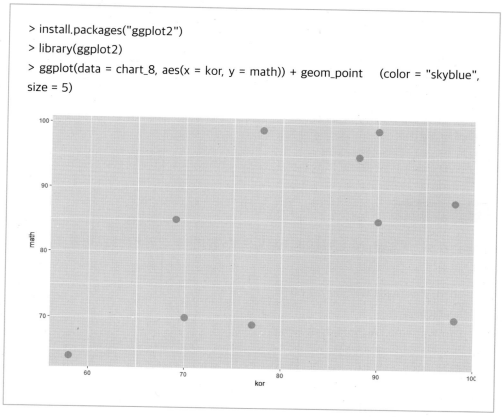

① ggplot2 패키지를 설치하고 library를 실행한다. 여기서 주의해야할 점은 패키지를 설치할 때는 "ggplot2"처럼 쌍따옴표로 묶어야한다. 또한 그래프로 나타내고자할 때에는 ggplot이라는 점을 주의해야한다.

② ggplot(data = chart_8, aes(x = kor, y = math))은 chart_8 데이터프레임에서 kor 변수를 x축, math 변수를 y축으로 구성을 한 다음에 goem_point(color = "skyblue", size = 5) 함수를 이용해서 색상을 "skyblue", size를 5로 채운 산점도 그래프를 만드는 원리로 작성된다.

7.6.3 geom_line() 함수

geom_line() 함수는 ggplot2 패키지를 설치하면 사용할 수 있는 함수이며 선 그래프
로 나타낼 수 있다. 사용법은 다음과 같다.

```
ggplot(data = 데이터프레임, aes(x = 변수명, y = 변수명)) + geom_line()
ggplot(data = 데이터프레임, aes(x = 변수명, y = 변수명)) + geom_line(color = "색상")
ggplot(data = 데이터프레임, aes(x = 변수명, y = 변수명)) + geom_line(size = "크기")
ggplot(data = 데이터프레임, aes(x = 변수명, y = 변수명)) + geom_line(color = "색상",
size = "크기")
```

🖥️ **실습하기**　데이터프레임 생성하기

"prac7_7.csv" 파일을 chart_9 데이터프레임으로 저장한 후 상위 6개 데이터를 추출하시오.

```
> chart_9 <- read.csv("prac7_7.csv")
> head(chart_9)
  date avg_temp low_temp high_temp
1   1    13.4      7.9      19.2
2   2    14.2      9.1      19.4
3   3    14.8      9.1      20.8
4   4    17.8     10.0      25.2
5   5    18.9     12.5      25.8
6   6    19.6     13.7      25.6
```

① read.csv() 함수를 이용하여 prac7_7.csv 파일을 불러와 chart_9 데이터프레임을 생성한다. 그
리고나서 데이터프레임이 올바르게 생성되었는지 확인하기 위해 head() 함수를 이용해서 6개
의 데이터를 출력한다.

실습하기 geom_point() 함수 1

geom_line() 함수를 이용하여 chart_9 데이터프레임의 date 변수를 x축, avg_temp 변수를 y축으로 하는 선그래프를 작성하시오.

```
> install.packages("ggplot2")
> library(ggplot2)
> ggplot(data = chart_9, aes(x = date, y = avg_temp)) + geom_line()
```

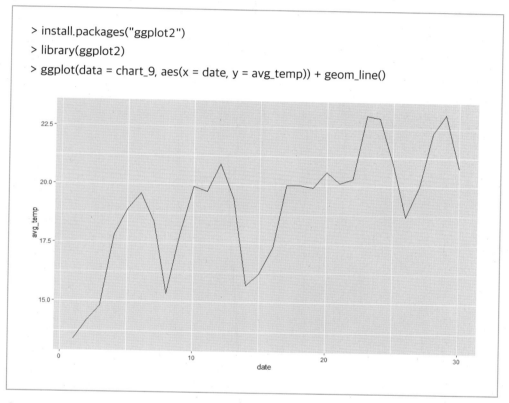

① ggplot2 패키지를 설치하고 library를 실행한다. 여기서 주의해야할 점은 패키지를 설치할 때는 "ggplot2"처럼 쌍따옴표로 묶어야한다. 또한 그래프로 나타내고자할 때에는 ggplot이라는 점을 주의해야한다.

② ggplot(data = chart_9, aes(x = date, y = avg_temp))은 chart_9 데이터프레임에서 date 변수를 x축, avg_temp 변수를 y축으로 구성을 한 다음에 goem_line() 함수를 이용해서 선 그래프를 만드는 원리로 작성된다.

🖥️ **실습하기** geom_line() 함수 2

geom_line() 함수를 이용하여 chart_9 데이터프레임의 date 변수를 x축, avg_temp 변수를 y축, 색상을 "skyblue'로 채우는 선그래프를 작성하시오.

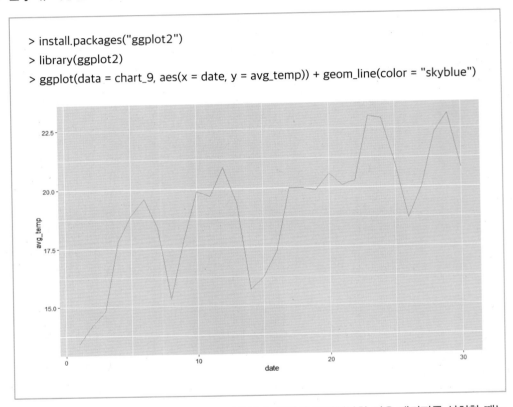

```
> install.packages("ggplot2")
> library(ggplot2)
> ggplot(data = chart_9, aes(x = date, y = avg_temp)) + geom_line(color = "skyblue")
```

① ggplot2 패키지를 설치하고 library를 실행한다. 여기서 주의해야할 점은 패키지를 설치할 때는 "ggplot2"처럼 쌍따옴표로 묶어야한다. 또한 그래프로 나타내고자할 때에는 ggplot이라는 점을 주의해야한다.

② ggplot(data = chart_9, aes(x = date, y = avg_temp))은 chart_9 데이터프레임에서 date 변수를 x축, avg_temp 변수를 y축으로 구성을 한 다음에 goem_line(color = "skyblue") 함수를 이용해서 색상을 "skyblue" 채운 선 그래프를 만드는 원리로 작성된다.

![실습하기] geom_line() 함수 3

geom_line() 함수를 이용하여 chart_9 데이터프레임의 date 변수를 x축, avg_temp 변수를 y축, 선의 크기를 2로 하는 채우는 선그래프를 작성하시오.

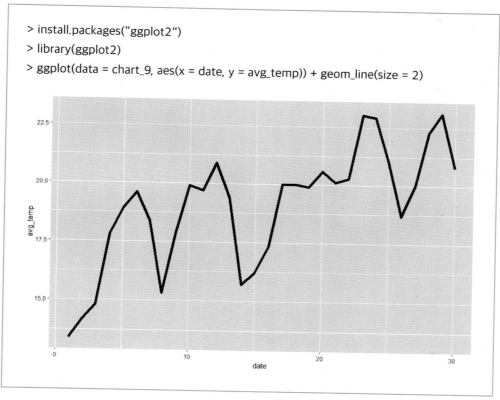

```
> install.packages("ggplot2")
> library(ggplot2)
> ggplot(data = chart_9, aes(x = date, y = avg_temp)) + geom_line(size = 2)
```

① ggplot2 패키지를 설치하고 library를 실행한다. 여기서 주의해야할 점은 패키지를 설치할 때는 "ggplot2"처럼 쌍따옴표로 묶어야한다. 또한 그래프로 나타내고자할 때에는 ggplot이라는 점을 주의해야한다.

② ggplot(data = chart_9, aes(x = date, y = avg_temp))은 chart_9 데이터프레임에서 date 변수를 x축, avg_temp 변수를 y축으로 구성을 한 다음에 goem_line(size = 2) 함수를 이용해서 size를 2로 채운 선 그래프를 만드는 원리로 작성된다.

실습하기 geom_line() 함수 4

geom_line() 함수를 이용하여 chart_9 데이터프레임의 date 변수를 x축, avg_temp 변수를 y축, 색상을 "skyblue", 선의 크기를 2로 하는 채우는 선그래프를 작성하시오.

```
> install.packages("ggplot2")
> library(ggplot2)
> ggplot(data = chart_9, aes(x = date, y = avg_temp)) + geom_line(color = "skyblue",
size = 2)
```

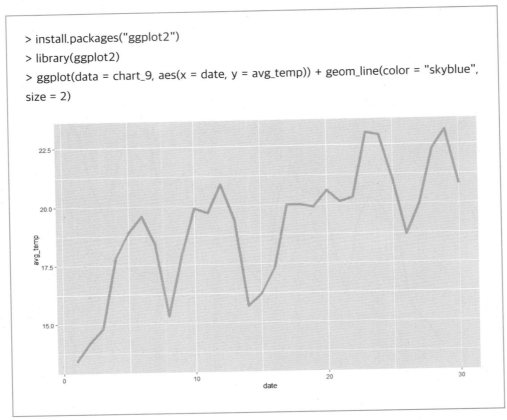

① ggplot2 패키지를 설치하고 library를 실행한다. 여기서 주의해야할 점은 패키지를 설치할 때는 "ggplot2"처럼 쌍따옴표로 묶어야한다. 또한 그래프로 나타내고자할 때에는 ggplot이라는 점을 주의해야한다.

② ggplot(data = chart_9, aes(x = date, y = avg_temp))은 chart_9 데이터프레임에서 date 변수를 x축, avg_temp 변수를 y축으로 구성을 한 다음에 goem_line(color = "skyblue", size = 2) 함수를 이용해서 색상을 "skyblue", size를 2로 채운 선 그래프를 만드는 원리로 작성된다.

7.6.4 geom_boxplot() 함수

geom_line() 함수는 ggplot2 패키지를 설치하면 사용할 수 있는 함수이며 상자 그래프로 나타낼 수 있다. 사용법은 다음과 같다.

```
ggplot(data = 데이터프레임, aes(x = 변수명, y = 변수명)) + geom_boxplot()
ggplot(data = 데이터프레임, aes(x = 변수명, y = 변수명, fill = 변수명)) + geom_boxplot()
```

실습하기 데이터프레임 생성하기

"prac7_8.csv" 파일을 chart_10 데이터프레임으로 저장한 후 상위 6개 데이터를 추출하시오.

```
> chart_10 <- read.csv("prac7_8.csv")
> head(chart_10)
  X grade value1 value2
1 1     f     18     29
2 2     f     21     29
3 3     f     20     31
4 4     f     21     30
5 5     f     16     26
6 6     f     18     26
```

① read.csv() 함수를 이용하여 prac7_8.csv 파일을 불러와 chart_10 데이터프레임을 생성한다. 그리고나서 데이터프레임이 올바르게 생성되었는지 확인하기 위해 head() 함수를 이용해서 6개의 데이터를 출력한다.

실습하기 geom_boxplot() 함수 1

geom_boxplot() 함수를 이용하여 chart_10 데이터프레임의 grade 변수를 x축, value1
변수를 y축으로 하는 상자그래프를 작성하시오.

```
> install.packages("ggplot2")
> library(ggplot2)
> ggplot(data = chart_10, aes(x = grade, y = value1)) + geom_boxplot()
```

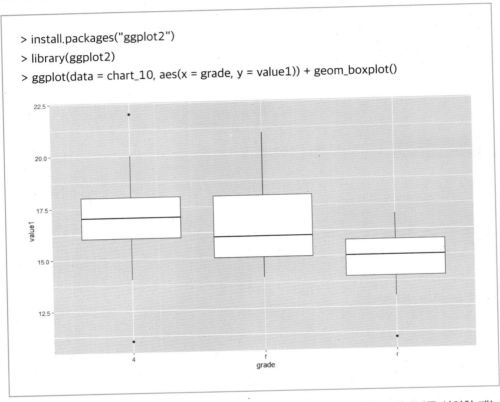

① ggplot2 패키지를 설치하고 library를 실행한다. 여기서 주의해야할 점은 패키지를 설치할 때는
"ggplot2"처럼 쌍따옴표로 묶어야한다. 또한 그래프로 나타내고자할 때에는 ggplot이라는 점
을 주의해야한다.

② ggplot(data = chart_10, aes(x = grade, y = value1))은 chart_10 데이터프레임에서 grade 변
수를 x축, value1 변수를 y축으로 구성을 한 다음에 goem_boxplot() 함수를 이용해서 상자 그
래프를 만드는 원리로 작성된다.

실습하기 boxplot() 함수 2

geom_boxplot() 함수를 이용하여 chart_10 데이터프레임의 grade 변수를 x축, value1 변수를 y축, grade 변수별 색상으로 하는 상자그래프를 작성하시오.

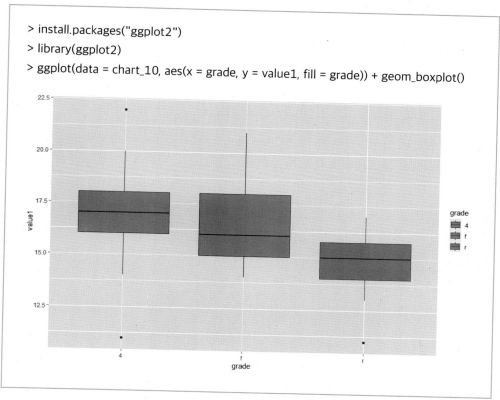

```
> install.packages("ggplot2")
> library(ggplot2)
> ggplot(data = chart_10, aes(x = grade, y = value1, fill = grade)) + geom_boxplot()
```

① ggplot2 패키지를 설치하고 library를 실행한다. 여기서 주의해야할 점은 패키지를 설치할 때는 "ggplot2"처럼 쌍따옴표로 묶어야한다. 또한 그래프로 나타내고자할 때에는 ggplot이라는 점을 주의해야한다.

② ggplot(data = chart_10, aes(x = grade, y = value1, fill = grade))은 chart_10 데이터프레임에서 grade 변수를 x축, value1 변수를 y축으로 구성하고 grade 변수를 기준으로 색상을 채운 다음에 goem_boxplot() 함수를 이용해서 상자 그래프를 만드는 원리로 작성된다.

1. 다음 데이터를 exer7_1 데이터프레임으로 생성한 후 jumsu 변수에 다음 그래프를 작성하시오.

① qplot() 막대그래프
② hist() 히스토그램

number	jumsu
1	96
2	75
3	88
4	96
5	87
6	98
7	67
8	56
9	89
10	79

2. 다음 데이터를 exer7_2 데이터프레임으로 생성한 후 다음 그래프를 작성하시오.

① plot() 산점도 그래프
② geom_point() 산점도 그래프(색상 : 빨강, 크기 : 3)

region	latitude	longitude
1	132	37
2	120	40
3	131	39
4	127	35
5	128	38

region	latitude	longitude
6	129	37
7	130	39
8	132	39
9	133	37
10	127	38

3. 어느 지역에 사는 인구 비율이 성인 남녀(man, woman)가 각각 36%, 35%이고 자녀(child)들이 30%이다. exer7_3 데이터프레임으로 생성한 후 pie() 함수를 이용하여 원 그래프를 작성하시오.(비율 : ratio)

4. 다음 데이터를 exer7_4 데이터프레임으로 생성하고, ggplot2 패키지를 설치한 후에 geom_bar() 함수를 이용하여 막대그래프를 작성하시오.(문자 데이터로 생성)

area_code
02
032
043
02
062
051
02
062
051
032

5. 다음은 어느 주식종목의 10일 동안의 일별 종가가격을 나타낸 것이다. exer7_5 데이터프레임으로 생성하고, ggplot2 패키지를 설치한 후에 geom_line() 함수를 이용하여 선그래프를 작성하시오.

date	price
1	1530
2	1560
3	1500
4	1480
5	1500
6	1450
7	1350
8	1290
9	1260
10	1250

6. 다음은 ggplot2 패키지에 포함되어 있는 mpg 데이터를 이용하여 exer7_6 데이터프레임을 생성한 것이다. geom_boxplot() 함수를 이용하여 drv 변수를 x 축, cty 변수를 y 축으로 하는 상자그래프를 작성하시오.

```
> exer7_6 <- as.data.frame(ggplot2::mpg)
> head(exer7_6, 3)
  manufacturer model displ year cyl    trans  drv cty hwy fl   class
1        audi    a4  1.8 1999   4    auto(l5)  f  18  29  p compact
2        audi    a4  1.8 1999   4 manual(m5)  f  21  29  p compact
3        audi    a4  2.0 2008   4 manual(m6)  f  20  31  p compact
```

R BigData Analysis

## CHAPTER 8

텍스트 마이닝

R BigData Analysis

CONTENTS

8.1   단어의 빈도 분석하기

8.2   형태소 분석기를 이용한 단어 빈도 분석

텍스트 마이닝이란 문서상의 의미가 있는 패턴과 관계를 찾고 이를 추출하는 것으로써 적절한 알고리즘을 이용하여 비정형화된 데이터를 정형화 데이터로 변화시켜 분석하는 일련의 과정이다.

텍스트 마이닝을 이용하여 비정형 데이터로서 텍스트 데이터들을 분류하고, 단어들간 또는 문서들 간의 연관관계를 파악하여 텍스트 또는 문서 간의 연관성 분석, 군집 분석이 가능하게 되었으며, 더 나아가 구조적 외부데이터와 결합을 통해 SNS나 웹사이트에 올라온 글을 분석하면 사람들이 어떤 이야기를 나누고 있는지 파악할 수 있다.

▸▸ 8.1 단어의 빈도 분석하기

문장은 단어가 모여져서 만들어진다. 텍스트에 많이 사용된 단어가 무엇인지 분석한다면 무엇을 강조했는지, 글의 핵심 주제와 의도가 무엇인지 파악할 수 있다. 텍스트 전처리, 토큰화하기, 단어분석을 통하여 단어 빈도 분석을 알아보자.

8.1.1 텍스트 전처리

텍스트 전처리란 데이터 분석을 시작하기 전에 텍스트에서 분석하는데 불필요한 요소를 제거하고 다루기 쉬운 형태로 만드는 과정이다. 데이터를 분석하기 전에 전처리는 매우 중요하지만, 특히 텍스트 분석에서는 전처리가 얼마나 잘 되었느냐에 따라 분석결과의 품질이 크게 차이가 날 수 있기 때문에 매우 중요하다.

방탄소년단의 UN연설문을 이용해서 텍스트 전처리 방법을 알아보자. 방탄소년단의 연설문은 이해하기 쉬운 단어와 문법의 오류가 거의 없는 정제된 문장으로 구성되어 있어 초보자들이 텍스트 분석하기 적합한 자료이다.

🖥️ 실습하기 　 연설문 분석하기

[1단계] 연설문 읽어오기 - readLines()

bts.txt에는 방탄소년단의 UN연설문이 담겨 있다. readLines() 함수를 이용하여 bts.txt 파일을 불러오시오.

```
> row_bts <- readLines("bts.txt", encoding = "UTF-8")
There were 50 or more warnings (use warnings() to see the first 50)

> head(row_bts)
[1] "존경하는 UN 사무총장님, UNICEF 총재님, 세계 각국의 정상 분들과 귀빈 여러분, 감사
합니다. "
[2] "저는 그룹 방탄소년단의 리더 RM으로도 알려진, 김남준 입니다. 오늘 젊은 세대들을 위
한 의미 있는 자리에 초대받게 되어 대단히 영광입니다."
[3] ""
[4] "작년 11월 방탄소년단은 "진정한 사랑은 나 자신을 사랑하는 것에서 시작한다"는 믿음
을 바탕으로 LOVE MYSELF 캠페인을 유니세프와 함께 시작했습니다. "
[5] "전 세계 어린이와 청소년들을 폭력으로부터 보호하는 #ENDviolence 프로그램도 유니
세프와 함께 해오고 있습니다. 우리 팬들은 행동과 열정으로 우리와 캠페인에 함께 해주고 계
십니다."
[6] " 진심으로 세상에서 가장 멋진 팬들이십니다!"
```

[2단계] 불필요한 문자 제거하기 - str_replace_all()

row_bts 데이터를 출력한 결과를 보면 특수문자, 한자, 공백 등이 포함되어 있다. 이러한 요소들은 분석대상이 아니므로 제거한다.

stringr 패키지의 str_replace_all() 함수는 텍스트에서 특정 규칙에 해당하는 문자를 찾아서 다른 문자로 바꾸어 주는 함수이다. str_replace_all() 함수를 이용하면 불필요한 문자를 제거 할 수 있다.

str_replace_all() 함수는 다음과 같은 파라미터를 입력한다.

- string : 처리할 텍스트
- pattern : 규칙
- replacement : 바꿀 문자

아래 코드에서 pattern에 입력한 [^가-힣]은 "한글이 아닌 모든 문자"를 의미하는 정규표현식이다. replacement에는 공백 " "을 입력한다. 따라서 한글을 제외한 모든 문자를 공백으로 바꾼다.

아래와 같이 먼저 str_replace_all()함수를 적용해 보자.

```
> txt <- "피자는! 맛있다. xyz 정말 맛있다!@#"
> txt
[1] "피자는! 맛있다. xyz 정말 맛있다!@#"

> install.packages("stringr")
> library(stringr)
> str_replace_all(string = txt, pattern = "[^가-힣]", replacement = " ")
[1] "피자는  맛있다     정말 맛있다   "
```

더 알아보기   정규표현식이란?

정규 표현식은 특정한 규칙을 가진 문자를 표현한다, 특정 조건에 해당하는 문자를 찾거나 수정할 때 활용한다. 앞에서 사용한 정규표현식 [^가-힣]에서 "가-힣"은 "가"부터 "힣"까지의 모든 한글 문자를 의미하고 특수문자 ^는 "반대"를 의미한다. 따라서 [^가-힣]은 "한글이 아닌 모든 문자"를 의미한다.

row_bts 데이터에 적용해 불필요한 문자를 제거해 보시오.

```
> install.packages("stringr")
> library(stringr)
> library(dplyr)
> bts <- row_bts %>% str_replace_all("[^가-힣]", " ")
> head(bts)
[1] "존경하는 사무총장님 총재님  세계 각국의 정상 분들과 귀빈 여러분  감사합니다"
[2] "저는 그룹 방탄소년단의 리더 으로도 알려진  김남준 입니다  오늘 젊은 세대들을 위한
의미 있는 자리에 초대받게 되어 대단히 영광입니다 "
[3] ""
[4] "작년   월 방탄소년단은  진정한 사랑은 나 자신을 사랑하는 것에서 시작한다 는 믿음을
바탕으로 캠페인을 유니세프와 함께 시작했습니다  "
[5] "전 세계 어린이와 청소년들을 폭력으로부터 보호하는 프로그램도 유니세프와 함께 해
오고 있습니다  우리 팬들은 행동과 열정으로 우리와 캠페인에 함께 해주고 계십니다 "
[6] " 진심으로 세상에서 가장 멋진 팬들이십니다 "
```

[3단계] 연속된 공백제거하기 - str_squish()

앞에서 출력한 결과를 보면 한글을 제외한 모든 문자를 공백으로 바꾸었기 때문에
연속된 공백이 포함되어 있다. stringr 패키지의 str_squish() 함수를 간단한 예제에
적용하여 연속된 공백을 제거해 보자.

```
> txt <- "피자는  맛있다   정말 맛있다  "
> txt
[1] "피자는  맛있다   정말 맛있다  "

> str_squish(txt)
[1] "피자는 맛있다 정말 맛있다"
```

위의 예제에서 학습한 것을 방탄소년단 연설문에 적용해 보시오.

```
> bts <- bts %>% str_squish()
> head(bts)
[1] "존경하는 사무총장님 총재님 세계 각국의 정상 분들과 귀빈 여러분 감사합니다"
[2] "저는 그룹 방탄소년단의 리더 으로도 알려진 김남준 입니다 오늘 젊은 세대들을 위한 의
미 있는 자리에 초대받게 되어 대단히 영광입니다"
[3] ""
[4] "작년 월 방탄소년단은 진정한 사랑은 나 자신을 사랑하는 것에서 시작한다 는 믿음을 바
탕으로 캠페인을 유니세프와 함께 시작했습니다"
[5] "전 세계 어린이와 청소년들을 폭력으로부터 보호하는 프로그램도 유니세프와 함께 해
오고 있습니다 우리 팬들은 행동과 열정으로 우리와 캠페인에 함께 해주고 계십니다"
[6] "진심으로 세상에서 가장 멋진 팬들이십니다"
```

[4단계] 데이터를 tibble 구조로 바꾸기 - as_tibble()

우리가 실습하고 있는 bts 데이터는 문자가 나열된 문자열 벡터 구조로 되어 있다. 문자열 벡터는 행에 들어있는 모든 내용을 출력하기 때문에 긴 문자가 있으면 출력 결과를 알아보기 어렵다.

dplyr 패키지의 as_tibble() 함수를 이용해 문자열 벡터를 tibble 구조로 변환하면 텍스트가 보기 쉽게 출력되고, 텍스트 처리함수를 적용하기 쉽다. bts 데이터를 tibble 구조로 바꾸어보자.

```
> install.packages("dplyr")
> library(dplyr)
> bts <- as_tibble(bts)
> bts
# A tibble: 46 x 1
  value
```

```
   <chr>
 1 "존경하는 사무총장님 총재님 세계 각국의 정상 분들과 귀빈 여러분 감사합니다"
 2 "저는 그룹 방탄소년단의 리더 으로도 알려진 김남준 입니다 오늘 젊은 세대들을 위한 의
미 있는 자리에 초대받게 되어 ~
 3 ""
 4 "작년 월 방탄소년단은 진정한 사랑은 나 자신을 사랑하는 것에서 시작한다 는 믿음을 바
탕으로 캠페인을 유니세프와 함~
 5 "전 세계 어린이와 청소년들을 폭력으로부터 보호하는 프로그램도 유니세프와 함께 해오
고 있습니다 우리 팬들은 행동과~
 6 "진심으로 세상에서 가장 멋진 팬들이십니다"
 7 ""
 8 "저는 오늘 저에 대한 이야기로 시작하려 합니다 저는 대한민국 서울 근교에 위치한 일산
이라는 도시에서 태어났습니다"
 9 "그곳은 호수와 산이 있고 해마다 꽃 축제가 열리는 아름다운 곳입니다 그곳에서 행복한
어린 시절을 보냈고 저는 그저 ~
10 "두근거리는 가슴을 안고 밤하늘을 올려다보고 소년의 꿈을 꾸기도 했습니다 세상을 구
할 수 있는 영웅이 되는 상상을 ~
# ... with 36 more rows
```

지금까지 했던 모든 전처리 작업은 %>%를 이용하여 함수를 연결하면 텍스트에서 한글만 남겨 연속된 공백을 제거하고 tibble 구조로 변환하는 작업을 한 번에 할 수 있다.

```
> bts <- row_bts %>%
+   str_replace_all("[^가-힣]", " ") %>%    # 한글만 남기기
+   str_squish() %>%                        # 연속된 공백 제거
+   as_tibble()                             # tibble로 변환
> bts
```

8.1.2 토큰화하기

텍스트는 단락, 문장, 단어, 형태소 등 다양한 단위로 나눌 수 있다. 이런 텍스트의 기본 단위를 토큰이라고 한다. 기본적인 전처리 작업이 끝나면 텍스트를 분석 목적에 따라 토큰으로 나누는 작업을 해보도록 하자.

[1단계] 토큰화하기 - unset_tokens()

tidytext 패키지는 텍스트를 정돈된 데이터 형태를 유지하며 분석할 수 있게 해주는 패키지이다. tidytext 패키지를 이용하면 dplyr, ggplot2 패키지를 함께 활용하여 텍스트를 쉽게 분석할 수 있다. tidytext 패키지의 unset_tokens() 함수를 이용하면 텍스트를 토큰화할 수 있다.

먼저 dplyr 패키지의 tibble() 함수를 아래의 간단한 예제를 통해 tibble 구조의 데이터를 만들어보자.

```
> text <- tibble(value = "동해물과 백두산이 마르고 닳도록 하느님이 보우 하사 우리나라
만세 무궁화 삼천리 화려 강산.")
> text
# A tibble: 1 x 1
  value
  <chr>
1 동해물과 백두산이 마르고 닳도록 하느님이 보우 하사 우리나라 만세 무궁화 삼천리 화려
강산.
```

unset_tokens() 함수를 이용해 텍스트를 토큰화해보자. unset_tokens() 함수에는 다음과 같은 파라미터를 입력한다.

- input : 토큰화할 텍스트
- output : 토큰을 담을 변수명
- token : 텍스트를 나누는 기준(문장 기준 : sentences, 띄어쓰기 기준: words, 글자 기준 : characters)

테스트를 통하여 적용한 결과를 보면 token에 입력한 기준으로 나뉘어 각 행으로 구성되어있음을 알 수 있다.

```
> install.packages("tidytext")
> library(tidytext)

# 문장 기준 토큰화
> text %>%
+   unnest_tokens(input = value,        # 토큰화할 텍스트
+                 output = word,          # 출력 변수명
+                 token = "sentences")    # 문장 기준
# A tibble: 1 x 1
  word
  <chr>
1 동해물과 백두산이 마르고 닳도록 하느님이 보우 하사 우리나라 만세 무~

# 띄어쓰기 기준 토큰화
> text %>%
+   unnest_tokens(input = value,        # 토큰화할 텍스트
+                 output = word,          # 출력 변수명
+                 token = "words")        # 띄어쓰기 기준
# A tibble: 13 x 1
  word
  <chr>
 1 동해물과
```

```
   2 백두산이
   3 마르고
   4 닳도록
   5 하느님이
   6 보우
   7 하사
   8 우리나라
   9 만세
  10 무궁화
  11 삼천리
  12 화려
  13 강산
```

```r
# 문자기준 토큰화
> text %>%
+   unnest_tokens(input = value,          # 토큰화할 텍스트
+                 output = word,          # 출력 변수명
+                 token = "characters")   # 문자 기준
# A tibble: 38 x 1
   word
   <chr>
 1 동
 2 해
 3 물
 4 과
 5 백
 6 두
 7 산
 8 이
 9 마
10 르
# ... with 28 more rows
```

unnest_tokens() 함수 사용법을 연설문에 적용해보자. 어떤 단어가 자주 사용되었는지 알아보는 게 분석 목적이므로 연설문을 띄어쓰기 기준으로 토큰화해보시오.

```
> install.packages("tidytext")
> library(tidytext)
> word_bts <- bts %>%
+   unnest_tokens(input = value,
+                 output = word,
+                 token = "words")
> word_bts
# A tibble: 515 x 1
   word
   <chr>
 1 존경하는
 2 사무총장님
 3 총재님
 4 세계
 5 각국의
 6 정상
 7 분들과
 8 귀빈
 9 여러분
10 감사합니다
# ... with 505 more rows
```

8.1.3 단어 빈도 분석하기

단어가 텍스트에 몇 번 사용되었는지 알아보는 분석 방법을 단어 빈도 분석이라고 한다. 자주 사용된 단어를 보면 글에서 무엇을 강조했는지 알 수 있기 때문에 텍스트를 분석할 때 가장 먼저 단어 빈도를 구한다. 연설문을 이용해 단어 빈도를 구해보자.

[1단계] 단어 빈도 구하기 - count()

연설문에 어떤 단어가 많이 사용되었는지 알아본다. dplyr 패키지의 count() 함수를 이용하면 단어의 빈도를 구할 수 있다. count() 함수에 sort = T를 입력하면 빈도가 높은 순으로 단어를 정렬한다.

```
> word_bts <- word_bts %>% count(word, sort = T)
> word_bts
# A tibble: 390 x 2
   word         n
   <chr>     <int>
 1 저는        12
 2 싶습니다      6
 3 여러분        6
 4 내          5
 5 여러분의      5
 6 자신을        5
 7 그리고        4
 8 다른         4
 9 대해         4
10 더          4
# ... with 380 more rows
```

출력 결과를 보면 연설문에 어떤 단어가 얼마나 자주 사용되었는지 알 수 있다. "저는"이 12번으로 가장 많이 사용되었고, 그 뒤로는 "싶습니다", "여러분"이 많이 사용되었다. 또한 [A tibble: 390 x 2]를 보면 연설문이 총 390개의 단어로 구성된다는 것을 알 수 있다.

[2단계] 한글자로 된 단어 제거하기 - filter(str_count())

word_bts 데이터 출력 결과를 보면 한글자로 된 단어가 있다. 한글자로 된 단어는 어떤 의미로 사용되었는지 알기 어렵기 때문에 분석대상에서 제외하는 것이 좋다.

str_count() 함수로 단어의 글자 수를 구한 다음 filter() 함수를 이용해 1보다 큰 행을 추출하면 한 글자로 된 단어를 제거할 수 있다.

```
# 두 글자 이상만 남기기
> word_bts <- word_bts %>% filter(str_count(words) > 1)
> word_bts

# A tibble: 368 x 2
   word        n
   <chr>    <int>
 1 저는        12
 2 싶습니다     6
 3 여러분       6
 4 여러분의     5
 5 자신을       5
 6 그리고       4
 7 다른        4
 8 대해        4
 9 많은        4
10 목소리를     4
# ... with 358 more rows
```

[3단계] 자주 사용된 단어 추출하기

단어 빈도를 구했으니 이제 자주 사용된 단어를 추출해 텍스트의 핵심 주제를 파악해보자.

1 빈도가 높은 단어 추출하기 - head()

358개 단어로 구성된 word_bts 데이터에서 가장 빈도가 높은 상위 20개 단어를 추출해보자.

word_bts 데이터는 빈도가 높은 순으로 정렬되어 있으므로 head()를 이용해 상위 20개 단어를 추출하면 된다.

```
> top20 <- word_bts %>% head(20)
> top20
# A tibble: 20 x 2
   word         n
   <chr>      <int>
 1 저는        12
 2 싶습니다      6
 3 여러분        6
 4 여러분의      5
 5 자신을        5
 6 그리고        4
 7 다른         4
 8 대해         4
 9 많은         4
10 목소리를      4
.....
```

[4단계] 막대 그래프 만들기 - geom_col()

ggplot2 패키지의 geom_col() 함수를 이용하면 막대 그래프를 그릴 수 있다. top20 데이터를 이용해 막대를 그래프를 그려보자. 출력한 그래프를 보면 연설문에 어떤 단어가 얼마나 많이 사용되었는지 알 수 있다.

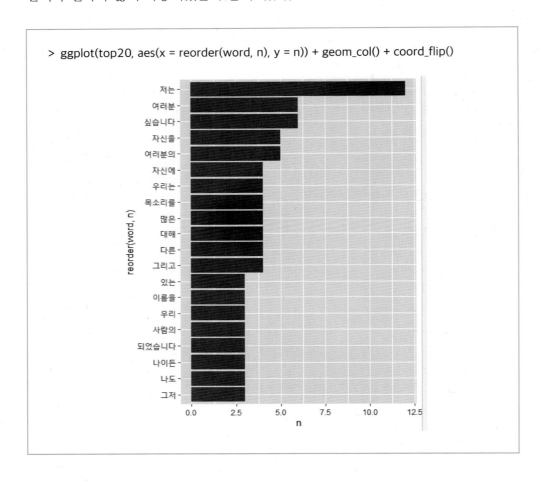

[5단계] 막대 그래프 수정하기

ggplot2 패키지의 다양한 함수를 이용해 그래프를 수정해보자.

- geom_text() : 텍스트 표시, 막대에 단어에 단어 빈도를 표시한다. hjust는 텍스트의 수평 위치를 조절하는 기능을 한다.
- labs() : 제목 설정, title을 이용해 그래프 제목을 추가한다. x, y축 이름은 NULL을 입력해 삭제한다.
- theme(): 그래프 디자인 설정, element_text() 함수를 이용해 그래프 제목을 단어보다 크게 설정한다.

```
> ggplot(top20, aes(x = reorder(word, n), y = n)) +
+   geom_col() + coord_flip() +
+   geom_text(aes(label = n), hjust = -0.3) +      # 막대 밖 빈도 표시
+   labs(title = "bts UN연설문",                    # 그래프 제목
+        x = NULL, y = NULL) +                      # 축 이름 삭제
+   theme(title = element_text(size = 12))          # 제목 크기
```

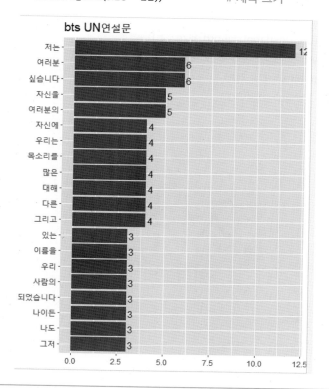

[6단계] 워드 클라우드 만들기 - geom_text_wordcloud()

ggwordcloud 패키지의 geom_text_wordcloud() 함수를 이용하면 워드 클라우드를 만들 수 있다. 연설문의 단어 빈도를 담고 있는 word_bts 데이터를 이용해 워드 클라우드를 만들어보자.

geom_text_wordcloud() 함수는 난수를 사용하므로 그래프를 작성할 때마다 모양이 바뀐다. 'seed = 1234'를 입력하면 난수를 고정하여 항상 같은 그래프를 그릴 수 있다.

scale_radius() 함수는 그래프에 표현할 값의 범위를 설정하는 ggplot2 패키지의 함수이다. scale_radius() 함수를 이용해 빈도가 3 이상인 단어만 표현하고, 글자크기의 범위를 3에서 30까지로 설정한다. 다음과 같이 설정하면 빈도가 높은 단어를 강조할 수 있다.

```
> install.packages("ggwordcloud")
> library(ggwordcloud)
> install.packages("ggplot2")
> library(ggplot2)
> ggplot(word_bts, aes(label = word, size = n)) +
+   geom_text_wordcloud(seed = 1234) +
+   scale_radius(limits = c(3, NA),          # 최소, 최대 단어 빈도
+                range = c(3, 30))
```

[7단계] 워드 클라우드 수정하기

ggplot2 패키지 함수를 이용해 그래프를 보기 좋게 수정해보자.

- scale_color_gradient() : 단어의 색깔을 빈도에 따라 그라데이션으로 표현한다. low 에는 빈도가 최소일 때 색깔을, high에는 빈도가 최대일 때 색깔을 입력한다.
- theme_minimal() : 배경이 없는 테마를 적용한다.
- 이외에도 theme_bw(), theme_dark() 등 다양한 테마를 적용할 수 있다.

```
> ggplot(word_bts, aes(label = word, size = n, col = n)) +      # 빈도에 따라 색깔 표현
+   geom_text_wordcloud(seed = 1234) +
+   scale_radius(limits = c(3, NA), range = c(3, 30)) +
+   scale_color_gradient(low = "#66aaf2", high = "#004EA1") +  # 최소, 최대 빈도 색깔
+   theme_minimal()
```

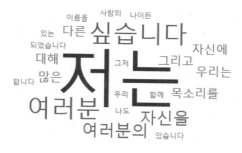

[8단계] 그래프 폰트 바꾸기

그래프 폰트를 한글 지원 폰트로 바꾸면 한글을 아름답게 표현 할 수 있다. 그래프의 폰트를 바꾸는 방법에 대해 알아보자.

1 구글 폰트 불러오기 : font_add_google()

showtext 패키지의 font_add_google() 함수를 이용해 구글 폰트에서 사용할 폰트를 불러온 다음 dhowtext_auto() 함수를 실행해 폰트를 RStudio에서 활용하도록 설정

한다. 다음 코드를 실행하면 구글 폰트에서 나눔고딕 폰트를 불러와 "nanumgothic" 이라는 이름으로 저장하고, RStudio에서 활용하도록 설정한다.

```
> library(showtext)
> font_add_google(name = "Nanum Gothic", family = "nanumgothic")
> showtext_auto()
```

[9단계] 그래프에 폰트 지정하기

앞에서 작성해본 워드 클라우드의 폰트를 나눔고딕으로 바꾸어 보도록 한다.

geom_text_wordcloud() 함수의 family에 폰트이름을 "nanumgothic"으로 입력하면 된다.

```
> ggplot(word_bts, aes(label = word, size = n, col = n)) +
+   geom_text_wordcloud(seed = 1234, family = "nanumgothic") +
+   scale_radius(limits = c(3, NA), range = c(3, 30)) +
+   scale_color_gradient(low = "#66aaf2", high = "#004EA1") +
+   theme_minimal()
```

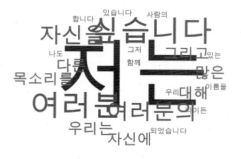

▶▶ 8.2 형태소 분석기를 이용한 단어 빈도 분석

지금까지는 텍스트 띄어쓰기 기준으로 토큰화하여 분석하였다. 그런데 띄어쓰기 기준으로 토큰화하면 '합니다', '있습니다' 같은 서술어가 가장 많이 추출되어서 빈도 분석을 해도 텍스트가 무엇을 강조하는지 알기 어렵다. 토큰화는 띄어쓰기가 아닌 의미 단위를 기준으로 하는 것이 더 이상적이다.

여기에서는 텍스트를 의미 단위로 분석하는 방법에 대해 알아본다.

8.2.1 형태소 분석

의미를 지닌 가장 작은 말의 단위를 형태소라 한다. 형태소는 더 나누면 뜻이 없는 문자가 된다. 문장에서 형태소를 추출해 명사, 동사, 형용사 등 품사로 분류하는 작업을 형태소 분석이라고 한다. 일반적으로 한글을 토큰화할 때는 띄어쓰기가 아닌 형태소를 기준으로 한다. 특히, 형태소 중에도 명사를 보면 텍스트가 무엇에 관한 내용인지 파악할 수 있기 때문에 텍스트에서 명사만 추출해 주로 분석한다.

[1단계] 형태소 분석 패키지 설치하기

1 자바와 rJava 패키지 설치하기

KoNLP 패키지는 자바와 rJava 패키지가 설치되어 있어야 사용할 수 있다. 자바와 rJava 패키지는 multilinguer 패키지의 install_jdk() 함수를 이용해서 설치 할 수 있다.

```
> install.packages("multilinguer")
> library(multilinguer)
> install_jdk()
i Target JDK: amazon-corretto-11-x64-windows-jdk.msi
Are you sure you want to install jdk?
```

```
1: No
2: Negative
3: I agree

선택: 3
```

2 　 KoNLP 의존성 패키지 설치하기

패키지 중 다른 패키지의 기능을 이용하기 때문에 다른 패키지를 함께 설치해야 작동한다. 이처럼 패키지가 의존하고 있는 패키지를 '의존성 패키지'라고 한다. KoNLP 패키지를 사용하려면 의존성 패키지들을 먼저 설치해야 한다.

```
> install.packages(c("stringr", "hash", "tau", "Sejong", "RSQLite", "devtools"),
  type = "binary")
```

3 　 KoNLP 패키지 설치하기

remotes 패키지의 install_github() 함수를 이용해 깃허브에 있는 KoNLP 패키지를 설치한 다음 로드한다.

```
> install.packages("remotes")
> remotes::install_github("haven-jeon/KoNLP", upgrade = "never",
+                         INSTALL_opts = c("--no-multiarch"))
```

4 　 형태소 사전 설정하기

KoNLP 패키지가 사용하는 'NIA사전'은 120만여 개 단어로 구성된다. 형태소 분석을 할 때 NIA사전을 사용하도록 useNIADic() 함수를 실행한다.

```
> library(KoNLP)
> useNIADic()
```

[2단계] 형태소 분석기를 이용하여 토큰화하기

텍스트를 형태소 분석기로 토큰화해 명사를 추출하는 방법에 대해 알아보자. 명사를 보고 텍스트가 무엇에 관한 내용인지 파악할 수 있기 때문에 텍스트에서 명사를 추출해 빈도를 분석한다.

1 명사추출하기 : extractNoun()

KoNLP패키지의 extractNoun() 함수는 텍스트의 형태소를 분석해 명사를 추출하는 함수이다. 샘플텍스트에 extractNoun()을 적용한 결과를 보면 각 문장에서 추출한 명사를 list구조를 출력한다.

```
> library(dplyr)
> text <- tibble(value = c("대한민국은 민주공화국이다.",
+                          "대한민국의 주권은 국민에게 있고, 모든 권력은 국민으로부터
+                          나온다."))
> text
# A tibble: 2 x 1
  value
  <chr>
1 대한민국은 민주공화국이다.
2 대한민국의 주권은 국민에게 있고, 모든 권력은 국민으로부터 나온다.

> extractNoun(text$value)
[[1]]
[1] "대한민국"   "민주공화국"

[[2]]
[1] "대한민국" "주권"     "국민"     "권력"     "국민"
```

2 unnest_tokens()를 이용해 명사 추출하기

unnest_tokens() 함수의 token에 extractNoun을 입력하면 다루기 쉬운 tibble 구조로
명사를 출력한다.

```
> library(tidytext)
> text %>%
+   unnest_tokens(input = value,            # 분석 대상
+                 output = word,            # 출력 변수명
+                 token = extractNoun)      # 토큰화 함수
# A tibble: 7 x 1
  word
  <chr>
1 대한민국
2 민주공화국
3 대한민국
4 주권
5 국민
6 권력
7 국민
```

3 연설문에서 명사 추출하기

형태소 분석기를 토큰화하는 방법을 익혔으니 BTS연설문에 적용해보자. 우선 연설
문을 불러와 기본적인 전처리를 한 다음 명사 기준으로 토큰화한다. 다음 코드를 실
행하면 연설문에서 명사를 추출할 수 있다.

```
# BTS 연설문 불러오기
> raw_bts <- readLines("bts.txt", encoding = "UTF-8")

# 기본적인 전처리
> library(stringr)
```

```
> BTS <- raw_bts %>%
+   str_replace_all("[^가-힣]", " ") %>%      # 한글만 남기기
+   str_squish() %>%                        # 중복 공백 제거
+   as_tibble()                             # tibble로 변환

# 명사 기준 토큰화
> word_noun <- BTS %>%
+   unnest_tokens(input = value, output = word, token = extractNoun)
> word_noun
# A tibble: 394 x 1
   word
   <chr>
 1 존경
 2 하
 3 사무총장
 4 님
 5 총재
 6 님
 7 세계
 8 각국
 9 정상
10 들
# ... with 384 more rows
```

8.2.2 명사 빈도 분석하기

연설문에서 명사를 추출했으니 빈도를 분석해보자.

[1단계] 단어빈도 구하기

다음 코드의 출력결과를 보면 연설문에서 어떤 단어가 얼마나 자주 사용되었는지 알수 있다. 명사 기준으로 토큰화했기 때문에 띄어쓰기 기준으로 토큰화한 분석결과와 달리 글쓴이가 무엇을 강조했는지 알 수 있다.

```
> word_noun <- word_noun %>%
+   count(word, sort = T) %>%          # 단어 빈도 구해 내림차순 정렬
+   filter(str_count(word) > 1)        # 두 글자 이상만 남기기
> word_noun
# A tibble: 155 x 2
   word          n
   <chr>      <int>
 1 여러분        13
 2 우리         11
 3 자신         10
 4 사랑          7
 5 이름          6
 6 이야기        6
 7 목소리        5
 8 방탄소년단     5
 9 사람          4
10 오늘          4
# ... with 145 more rows
```

[2단계] 막대 그래프 그리기

어떤 단어가 자주 사용되었는지 쉽게 알아볼 수 있도록 빈도가 높은 상위 20개 단어를 추출해 막대그래프를 그려본다.

```
> top20 <- word_noun %>% head(20)
> library(ggplot2)
> ggplot(top20, aes(x = reorder(word, n), y = n)) +
+   geom_col() +
+   coord_flip() +
+   geom_text(aes(label = n), hjust = -0.3) +
+   labs(x = NULL) +
+   theme(text = element_text(family = "nanumgothic"))
```

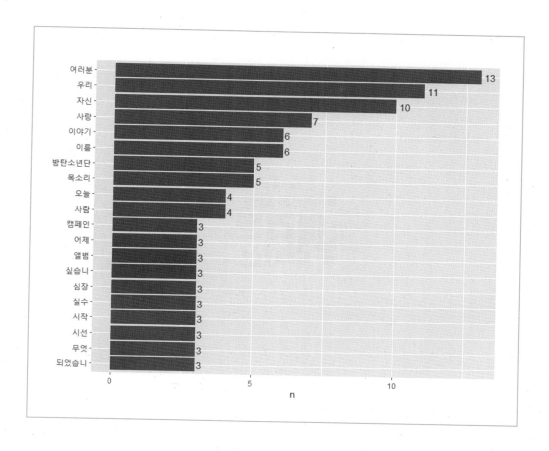

[3단계] 워드 클라우드 만들기

추출한 명사를 이용하여 워드 클라우드를 만들어보자. 출력된 워드 클라우드를 보면 명사로 되어 있기 때문에 띄어쓰기로 구분하여 만든 워드 클라우드보다 연설문이 어떤 내용을 다루고 있는 이해하기 쉽다.

```
> library(showtext)
> font_add_google(name = "Black Han Sans", family = "blackhansans")
> showtext_auto()
> library(ggwordcloud)
```

```
> ggplot(word_noun, aes(label = word, size = n, col = n)) +
+   geom_text_wordcloud(seed = 1234, family = "blackhansans") +
+   scale_radius(limits = c(3, NA), range = c(3, 15)) +
+   scale_color_gradient(low = "#66aaf2", high = "#004EA1") +
+   theme_minimal()
```

CHAPTER

9

Shapefile을 활용한 대한민국 지도 시각화

BigData Analysis

C O N T E N T S

9.1   Shapefile을 활용한 대한민국 지도 시각화

9.2   서울시 지도 시각화

9.3   서울시 초미세먼지 단계구분도

▸▸ 9.1 Shapefile을 활용한 대한민국 지도 시각화

데이터 시각화(data visualization)는 데이터 분석 결과를 쉽게 이해할 수 있도록 시각적으로 표현하고 전달하는 과정을 말한다. 도표(graph)라는 수단을 통해 정보를 명확하고 효과적으로 전달하는 것이 가능하다.

국내 코로나바이러스감염증–19 확진자 현황도 표와 그래프를 통해 제공되고 있어 글로 확인하는 것보다 명확하고 빠르게 확인이 가능하다.

□ 확진 현황 (2.20. 00시 기준)

(단위 : 명)

구분	02.14.	02.15.	02.16.	02.17.	02.18.	02.19.	02.20.	주간일평균
일일	54,617	57,164	90,435	93,132	109,823	102,210	104,829	87,458
인구 10만명 당	105.77	110.70	175.13	180.35	212.68	197.93	203.00	169.36

□ 일일 및 누적 확진환자 추세

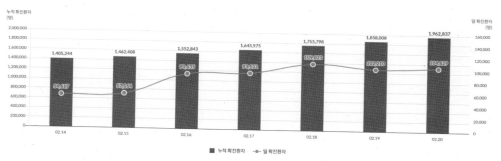

코로나바이러스감염증-19 국내 발생현황
출처 : 코로나바이러스감염증-19(COVID-19) 사이트 http://ncov.mohw.go.kr/

특히 국내 시도별 발생동향의 경우 일반 그래프와 지도 그래프를 함께 제공하고 있다. 분석하려는 데이터가 지역, 지명과 관련이 있는 경우 데이터와 지도를 연결한다면 더욱 좋은 시각화 효과를 얻을 수 있다. 지도 시각화는 지리적 위치에 관련 데이터를 지도 위에서 분석하고 보여주는 것이다. 이를 통해 데이터를 보다 명확하고 직관적으로 받아들일 수 있다.

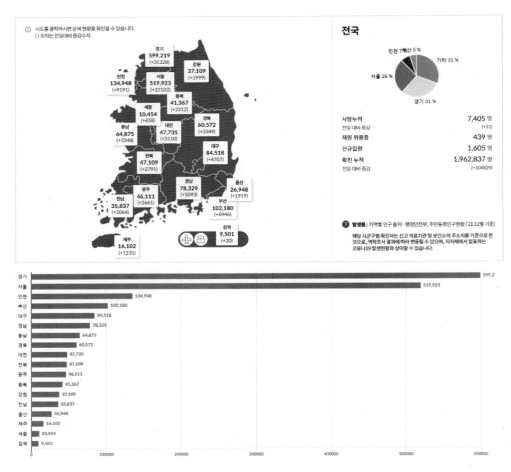

코로나바이러스감염증-19 시도별 발생동향
출처 : 코로나바이러스감염증-19(COVID-19) 사이트 http://ncov.mohw.go.kr/

R을 이용하여 지도 시각화를 표현하는 것이 가능하다. 지도를 그리는 방법은 다양한데, 9장에서는 shapefile을 활용하여 지도 시각화하는 방법을 학습한다.

shapefile은 지리 정보 시스템(GIS) 소프트웨어를 위한 지리 공간 벡터 데이터 형식이다. 즉, 벡터방식의 공간정보를 저장하고 있다. 확장자는 .shp이며, .shp 파일은 점(Point), 선(Line), 면(Polygon) 중 하나의 속성을 갖는다. .shp 파일에서 면(polygon)을 잘라내거나 합칠 수도 있다. 벡터를 사용하여 지도를 구성하기 때문에 확대해도 이미지가 깨지지 않고 유지하게 된다.

우리나라 지도를 그릴 때에는 대한민국 행정구역(SHP) 지도 데이터(http://www.gisdeveloper.co.kr/?p=2332)를 사용한다. 이 지도 데이터는 대한민국의 행정구역에 대한 시도, 시군구, 읍면동, 리에 대한 공간 데이터를 shapefile로 제공하고 있다. 행정구역도는 인구수에 따라 행정적 편의로 구분되며 자주 변경되므로 다운받은 시점에 따라 데이터가 다를 수 있다.

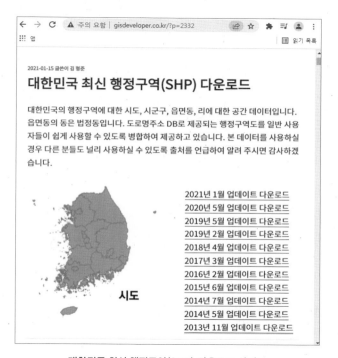

대한민국 최신 행정구역(SHP) 다운로드 사이트

shapefile을 활용하여 지도 시각화하는 작성방법은 크게 3단계로 나눌 수 있다. 첫 번째 단계는 sf 패키지를 사용하여 shapefile을 불러오고, 두 번째 단계로 shapefile을 데이터프레임으로 변환한다. 세 번째 단계는 생성한 데이터프레임을 사용하여 ggplot2 패키지로 지도 시각화를 표현한다.

9.1.1 shapefile 불러오기

shapefile을 불러오기 위해서 sf 패키지를 설치해야 한다. sf 패키지는 지리공간 벡터 데이터(vector data) 분석을 위한 패키지이며, shapefile을 불러올 수 있는 함수가 포함되어 있다. 그 외에 데이터를 가공할 수 있는 dplyr 패키지와 stringr 패키지가 필요하다. dplyr 패키지는 데이터프레임에 대한 일반적인 데이터 전처리 및 분석을 돕는 패키지이다. stringr 패키지는 문자열 데이터를 가공하기 위해 자주 사용되는 유용한 패키지이다. 문자열 치환, 벡터 연산, 함수의 결과를 반복문 없이 저장해주는 등 편리한 함수들을 가지고 있다. 이 3개의 패키지를 설치 및 로드해준다.

```
#sf 패키지 설치 및 로드
> install.packages("sf")
> library(sf)
#dplyr, stringr 패키지 로드
> library(dplyr)
> library(stringr)
```

9.1.1.1 st_read() - .shp 지도 파일을 불러오기

st_read() 함수는 .shp 지도 파일을 불러올 수 있는 함수로 sf 패키지 속에 들어있다.

```
st_read(dsn, layer, ...)
```

st_read()함수를 이용하여 파일을 불러올 때 파일명, 확장자와 함께 파일이 들어있는 경로도 함께 작성해야 하는데, file.choose() 함수를 이용하면 직접 사용자가 파일을 선택할 수 있다.

> file.choose(new = FALSE)

file.choose() 함수 사용법은 옵션값을 생략하고 함수 이름 file.choose()을 그대로 사용한다. file.choose() 함수를 사용하면 파일 탐색기 창이 뜨고, 이때 해당 파일을 찾아 선택하면 된다.

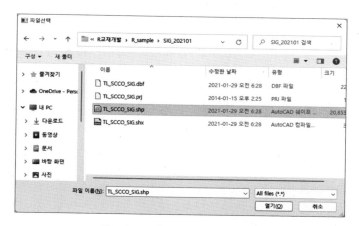

file.choose() 함수 - 파일 탐색기 창

```
#shapefile 불러오기
> shp_sf <- st_read(file.choose())
Reading layer `TL_SCCO_SIG' from data source
 `C:_sample_202101_SCCO_SIG.shp'
 using driver `ESRI Shapefile'
Simple feature collection with 250 features and 3 fields
Geometry type:    MULTIPOLYGON
Dimension:        XY
Bounding box:     xmin: 746110.3 ymin: 1458754 xmax: 1387948 ymax:
2068444
Projected CRS:    PCS_ITRF2000_TM
```

9.1.1.2 iconv() 함수 - 한글 인코딩

불러온 파일을 shp_sf에 저장하여 haed()함수로 상위 데이터를 확인해보면 SIG_ KOR_NM 열에서 한글 깨짐현상을 확인할 수 있다.

```
> head(shp_sf)
Simple feature collection with 6 features and 3 fields
Geometry type:      MULTIPOLYGON
Dimension:          XY
Bounding box        xmin: 1000542 ymin: 1896802 xmax: 1146897 ymax:
2026161
Projected CRS:      PCS_ITRF2000_TM
  SIG_CD  SIG_ENG_NM                                          SIG_KOR_NM
1 42110 Chuncheon-si                        <c3><e1>o<U+00BD><c3>
2 42130     Wonju-si                 <U+00BF><f8><c1><U+05BD><c3>
3 42150 Gangneung-si<U+00B0><U+00AD><U+00B8><U+00AA><U+00BD><c3>
4 42170    Donghae-si          <U+00B5><U+00BF><c7><U+063D><c3>
5 42190    Taebaek-si                    <c5>¹<e9><U+00BD><c3>
6 42210    Sokcho-si          <U+00BC><d3><c3><U+02BD><c3>
                 geometry
1 MULTIPOLYGON (((1007462 200...
2 MULTIPOLYGON (((1038519 194...
3 MULTIPOLYGON (((1136546 196...
4 MULTIPOLYGON (((1140185 195...
5 MULTIPOLYGON (((1133987 192...
6 MULTIPOLYGON (((1097566 202...
```

iconv() 함수를 사용하여 한글 인코딩하면 한글 깨짐 문제를 해결할 수 있다. 인코딩을 CP949에서 UTF-8으로 변경하면 된다.

한글 인코딩(Encoding)이란 한글을 컴퓨터에 표시하는 방식을 의미한다. 컴퓨터는 사람이 사용하는 문자를 읽을 수 없기 때문에 0과 1로 된 2진수를 사용하였고, 2진수는 자리 수를 많이 차지하므로 이후에 8진수와 16진수로 발전했다. 마찬가지로 컴퓨터가 사용하는 8진수, 16진수는 사람이 제대로 읽을 수 없다. 그래서 사람의 문자를 컴퓨터가 이해할 수 있게 16진수로 표기한 것을 한글 인코딩이라고 한다.

한글 인코딩에 주로 사용되는 방식은 'EUC-KR'과 'UTF-8'이 있다. 한글 인코딩 방식의 관계에 대해 살펴보면 아스키코드(ASCII, American Standard Code for Information Interchange)가 있는데, 미국에서 개발된 대표적인 영문 인코딩 방식으로 알파벳, 숫자, 기호 등 128개가 지정되어 있다. 'UTF-8'과 'EUC-KR'은 아스키코드만을 공유하며 나머지 한글 인코딩 방식이 다르다.

또한 'CP949'라는 인코딩 방식은 EUC-KR을 그대로 가져온 후, EUC-KR에서 빠져 있던 8,822글자를 가나다 순으로 채워넣은 확장완성형 인코딩 방식으로 Windows 점유율이 높은 한국에서 사실상 표준 인코딩 방식이다.

한글 인코딩 방식은 Windows는 EUC-KR을 사용하고, Mac은 UTF-8을 사용한다. 그래서 Windows에서 UTF-8을 사용하려면 인코딩 방식을 UTF-8로 지정해줘야 하고, Mac에서 EUC-KR을 사용하려면 인코딩 방식을 EUC-KR로 지정해줘야 한다.

iconv() 함수는 문자열의 인코딩을 바꿔주는 함수이다. CP949에서 UTF-8으로 인코딩 방식을 변경하기 위해서는 iconv() 함수를 사용하면 된다.

```
iconv(x, from = "", to = "", sub = NA, mark = TRUE, toRaw = FALSE)
```

iconv() 함수 사용법은 x가 변환할 문자열, from은 현재 인코딩 방식, to는 변경할 인코딩 방식을 의미한다. 다른 옵션들은 기본 값을 사용한다.

```
#SIG_KOR_NM의 인코딩을 CP949에서 UTF-8으로 변경
> shp_sf$SIG_KOR_NM <- iconv(shp_sf$SIG_KOR_NM,
+                     from = "cp949",
+                     to = "UTF-8",
```

```
+                sub = NA,
+                mark = TRUE,
+                toRaw = FALSE)
> head(shp_sf)
Simple feature collection with 6 features and 3 fields
Geometry type:      MULTIPOLYGON
Dimension:          XY
Bounding box:       xmin: 1000542 ymin: 1896802 xmax: 1146897 ymax: 2026161
Projected CRS:      PCS_ITRF2000_TM
  SIG_CD   SIG_ENG_NM SIG_KOR_NM                        geometry
1  42110 Chuncheon-si    춘천시        MULTIPOLYGON (((1007462 200...
2  42130    Wonju-si     원주시        MULTIPOLYGON (((1038519 194...
3  42150 Gangneung-si    강릉시        MULTIPOLYGON (((1136546 196...
4  42170   Donghae-si    동해시        MULTIPOLYGON (((1140185 195...
5  42190   Taebaek-si    태백시        MULTIPOLYGON (((1133987 192...
6  42210    Sokcho-si    속초시        MULTIPOLYGON (((1097566 202...
```

shp_sf에 저장된 데이터를 뷰어창으로 확인하면 다음과 같다.

```
#shp_sf 데이터 뷰어창 확인
> View(shp_sf)
```

	SIG_CD	SIG_ENG_NM	SIG_KOR_NM	geometry
1	42110	Chuncheon-si	춘천시	list(list(c(1007462.09537365, 1007512.14978508, 1007698.35...
2	42130	Wonju-si	원주시	list(list(c(1038519.19585414, 1038552.69140473, 1038580.25...
3	42150	Gangneung-si	강릉시	list(list(c(1136545.8034935, 1136548.54550324, 1136727.596...
4	42170	Donghae-si	동해시	list(list(c(1140184.97520503, 1140180.52783815, 1140193.89...
5	42190	Taebaek-si	태백시	list(list(c(1133987.16783265, 1133980.89547, 1133985.74425...
6	42210	Sokcho-si	속초시	list(list(c(1097565.77612188, 1097563.65478662, 1097575.21...

shp_sf 데이터프레임의 전체 데이터는 4개의 변수와 250개의 관측치로 구성되어 있다. SIG_CD는 시군구의 코드(code)를 의미하며, SIG_ENG_NM은 시군구의 영어 명칭(english name), SIG_KOR_NM은 한글 명칭(korea name), geometry는 시군구의 좌표값을 의미한다.

첫 번째 변수인 SIG_CD(시군구 코드)는 5개의 숫자로 되어 있고, 이 코드체계는 행정안전부에서 지정해놓은 것이다.

시군구 코드 - 행정기관5자리

법정동	행정기관5자리	법정동	행정기관5자리
서울특별시	11000	경기도	41000
부산광역시	26000	강원도	42000
대구광역시	27000	충청북도	43000
인천광역시	28000	충청남도	44000
광주광역시	29000	전라북도	45000
대전광역시	30000	전라남도	46000
울산광역시	31000	경상북도	47000
세종특별자치시	36000	경상남도	48000
		제주특별자치도	50000

'42110'은 '춘천시'의 코드이다. 이 코드에서 앞의 두 자리는 '시', '도'를 의미한다. 따라서 '42'는 '강원도'를 의미하며, 42로 시작하는 코드들은 강원도에 있는 시군구를 의미한다.

시군구 코드 - 법정동코드

시도	시군구	법정동	행정기관5자리	법정동코드
서울특별시	서울특별시	서울특별시	11000	1100000000
서울특별시	종로구	종로구	11110	1111000000
서울특별시	종로구	청운동	11110	1111010100
...	...	...	...	...
강원도	강원도	강원도	42000	4200000000
강원도	춘천시	춘천시	42110	4211000000
강원도	원주시	원주시	42130	4213000000
...	...	...	...	...

9.1.2 shapefile을 데이터프레임으로 변환

ggplot 시각화를 하기 전에 shapefile을 데이터프레임으로 변환해야 한다. 하지만 shapefile은 한 번에 데이터프레임으로 변환하는 것은 불가능하다. 다음의 단계를 거쳐 데이터프레임으로 변환한다.

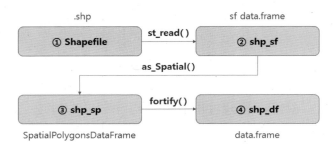

shapefile을 데이터프레임으로 변환과정

9.1.2.1 sf data.frame을 SpatialPolygonsDataFrame으로 변환

9.1.1절에서 st_read() 함수를 사용하여 shapefile을 불러와 shp_sf에 저장하였다. shp_sf에 저장된 값의 데이터타입을 확인해보면 sf 데이터프레임이다. 이를 as_Spatial() 함수를 사용하여 SpatialPolygonsDataFrame으로 변환시킨다.

```
as_Spatial(from, cast = TRUE, IDs = paste0("ID", seq_along(from)))
```

as_Spatial() 함수 사용법은 from에 변경할 데이터프레임을 적어주고, 다른 옵션들은 생략 가능하다.

shp_sf의 데이터타입을 확인해보면 sf data.frame으로 확인된다. as_Spatial() 함수를 사용하여 SpatialPolygonsDataFrame으로 변환시키고 새 데이터프레임 shp_sp에 저장한다. shp_sp의 데이터타입을 확인해보면 "SpatialPolygonsDataFrame"으로 확인된다.

```
#shp_sf 데이터타입 확인
> class(shp_sf)
[1] "sf"        "data.frame"

#sf data.frame을 SpatialPolygonsDataFrame으로 변환
> shp_sp <- as_Spatial(shp_sf)

#shp_sp 데이터타입 확인
> class(shp_sp)
[1] "SpatialPolygonsDataFrame"
attr(,"package")
[1] "sp"
```

SpatialPolygonsDataFrame으로 변환시킨 shp_sp에 저장된 데이터를 뷰어창으로 확인하면 다음과 같다.

#shp_sp 데이터 뷰어창 확인
> View(shp_sp)

Name	Type	Value
◉ sigungu_shp_spatial	S4 [250 x 3] (sp::SpatialPolygonsl	S4 object of class SpatialPolygonsDataFrame
◉ data	list [250 x 3] (S3: data.frame)	A data.frame with 250 rows and 3 columns
SIG_CD	character [250]	'42110' '42130' '42150' '42170' '42190' '42210' ...
SIG_ENG_NM	character [250]	'Chuncheon-si' 'Wonju-si' 'Gangneung-si' 'Donghae-si' 'Taebaek-si' 'Sokcho-si' ...
SIG_KOR_NM	character [250]	'춘천시' '원주시' '강릉시' '동해시' '태백시' '속초시' ...
◉ polygons	list [250]	List of length 250
plotOrder	integer [250]	8 16 87 11 85 91 ...
bbox	double [2 x 2]	746110 1458754 1387948 2068444
◉ proj4string	S4 (sp::CRS)	S4 object of class CRS
projargs	character [1]	'+proj=tmerc +lat_0=38 +lon_0=127.5 +k=0.9996 +x_0=1000000 +y_0=2000000 +ellps=G ...

shp_sp의 data에는 3개의 변수와 250개의 관측치가 있으며, 3개의 변수는 시군구코드(SIG_CD)와 시군구의 영어 명칭(SIG_ENG_NM), 한글 명칭(SIG_KOR_NM) 이다.

시군구의 좌표값(geometry)을 다각형(polygons)들의 공간구조인 CRS 체계의 projargs (projected arguments) 값으로 가지고 있다.

투영 좌표계(Projected CRS, Projected Coordinate Reference Systems)는 암묵적으로 평평한 표면 위의 데카르트 좌표를 기반으로 한다. 투영 좌표계는 원점(origin), x축과 y축, 그리고 미터(meters)와 같은 선형 측정 단위를 가지고 있다. 모든 투영 좌표계는 지리 좌표계(geographic CRSs)를 기반으로 하며, 3차원의 지구 표면을 투영 좌표계의 x축(동−서)과 y축(남−북)의 값으로 변환하는 지도 투사에 의존한다.

shp_sf의 data 데이터를 뷰어창으로 확인하면 데이터프레임 형태로 확인할 수 있다.

```
#shp_sp@data 데이터 뷰어창으로 확인
> View(shp_sp@data)
```

	SIG_CD	SIG_ENG_NM	SIG_KOR_NM
1	42110	Chuncheon-si	춘천시
2	42130	Wonju-si	원주시
3	42150	Gangneung-si	강릉시
4	42170	Donghae-si	동해시
5	42190	Taebaek-si	태백시
6	42210	Sokcho-si	속초시

9.1.2.2 SpatialPolygonsDataFrame을 데이터프레임으로 변환

ggplot() 함수로 그래프를 그리기 위해서는 SpatitalPloygonsDataFrame을 데이터프레임 형태로 변환해주어야 한다. 이때 사용하는 함수가 ggplot2 패키지의 fortify() 함수이다.

```
fortify(model, data, ...)
```

fortify() 함수 사용법은 model에 변경할 데이터프레임을 적어주고, 다른 옵션들은 생략 가능하다.

fortify() 함수는 ggplot2 패키지에 포함되어 있기 때문에 ggplot2 패키지를 먼저 로드해주고, SpatialPolygonsDataFrame 데이터인 shp_sp를 fortify() 함수에 적용시켜 데이터프레임으로 변환시키고 새 데이터프레임 shp_df에 저장한다. shp_df의 데이터타입을 확인해보면 "data.frame"으로 확인된다.

```
#shapefile을 데이터프레임으로 변환
> library(ggplot2)
> shp_df <- fortify(shp_sp)

#shp_df 데이터타입 확인
> class(shp_df)
[1] "data.frame"
```

shp_df의 데이터를 뷰어창으로 확인해보면 7개의 컬럼 값을 가지고 있다.

```
#shp_df 데이터 뷰어창 확인
> View(shp_df)
```

	long	lat	order	hole	piece	id	group
1	1007462	2008949	1	FALSE	1	1	1.1
2	1007512	2008902	2	FALSE	1	1	1.1
3	1007698	2008919	3	FALSE	1	1	1.1
4	1007797	2008978	4	FALSE	1	1	1.1
5	1007921	2008946	5	FALSE	1	1	1.1
6	1007947	2008939	6	FALSE	1	1	1.1

long은 경도(longitude)를 의미하며, x축 좌표 값이 된다. lat은 위도(latitude)를 의미하며, y축 좌표 값이 된다. order는 집단 내에서 각각의 점을 연결하는 순서를 의미하며, 순번으로 정렬되어 있어야 제대로 된 다각형을 만들 수 있다. group은 각 다각형(polygon)별 집단 분류 변수로 함께 연결한 위도 · 경도 점(나라, 주, 도시, ...)들의 그룹이다. 이 값을 기준으로 다각형(polygon)을 그릴 수 있다. 이 데이터들을 이용하면 좌표에 점을 찍고 선으로 이어서 지도를 그릴 수 있다.

9.1.3 ggplot2 패키지로 지도 시각화

데이터프레임으로 변환한 shp_df을 사용하여 우리나라 지도를 그려보자. shp_df 데이터프레임의 long(경도)을 x축으로 설정하고, lat(위도)를 y축으로 설정한다. 도시별로 그려지도록 group을 설정한다. 그래프 모양은 좌표값을 기준으로 점들을 연결하여 선을 그리도록 geom_path() 함수를 사용한다.

```
#ggplot으로 지도 시각화
> ggplot(data = shp_df, aes(x = long, y = lat, group = group)) +
+   geom_path(color = "black")
```

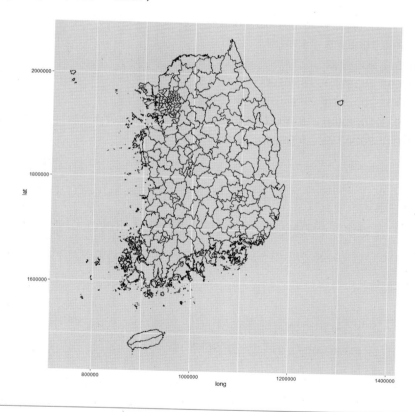

9.1.4 행정구역의 위치정보와 메타데이터 속성의 결합

shp_df 데이터프레임의 값을 확인해보면 처음 shapefile을 불러왔던 shp_sf의 SIG_CD, SIG_ENG_NM, SIG_KOR_NM 변수 값이 빠져있는 것을 확인할 수 있다. shp_df 데이터프레임의 값으로 지도를 표현해 줄 수는 있지만 SIG_CD, SIG_ENG_NM, SIG_KOR_NM 변수 값이 빠져있기 때문에 해당 지역의 코드나 명칭을 확인할 수가 없다. 그러므로 행정구역의 위치정보와 메타데이터 속성을 결합하는 과정이 필요하다.

```
#shp_df 상위데이터 확인
> head(shp_df)
      long     lat order  hole piece id group
1 1007462 2008949     1 FALSE     1  1   1.1
2 1007512 2008902     2 FALSE     1  1   1.1
3 1007698 2008919     3 FALSE     1  1   1.1
4 1007797 2008978     4 FALSE     1  1   1.1
5 1007921 2008946     5 FALSE     1  1   1.1
6 1007947 2008939     6 FALSE     1  1   1.1
```

두 데이터프레임을 결합하기 위해선 결합기준이 되는 변수가 필요하다. shp_df 데이터프레임의 id 변수는 '시군구'를 의미한다. 같은 값이 여러 개가 존재하는 이유는 해당 시군구의 모든 좌표값이 저장되어 있기 때문이다. shp_sp 데이터프레임에 id 변수를 추가해준다.

shp_sp 데이터프레임의 data에 id 변수를 추가 생성하는 방법은 shp_sp 데이터프레임의 행 이름을 rownames() 함수를 사용하여 추출하고 id라는 새로운 변수를 만들어서 저장한다.

```
#shp_sp 데이터프레임에 id 변수(결합기준 변수) 추가
> shp_sp@data$id <- rownames(x = shp_sp@data)
```

shp_sp 데이터를 뷰어창으로 확인해보면 기존 shp_sp의 data에 id 변수가 추가된 것을 확인할 수 있다.

```
#shp_sp 데이터 뷰어창으로 확인
> View(shp_sp)
```

Name	Type	Value
● shp_sp	S4 [250 x 4] (sp::SpatialPolygonsl	S4 object of class SpatialPolygonsDataFrame
● data	list [250 x 4] (S3: data.frame)	A data.frame with 250 rows and 4 columns
SIG_CD	character [250]	'42110' '42130' '42150' '42170' '42190' '42210' ...
SIG_ENG_NM	character [250]	'Chuncheon-si' 'Wonju-si' 'Gangneung-si' 'Donghae-si' 'Taebaek-si' 'Sokcho-si' ...
SIG_KOR_NM	character [250]	'춘천시' '원주시' '강릉시' '동해시' '태백시' '속초시' ...
id	character [250]	'1' '2' '3' '4' '5' '6' ...
● polygons	list [250]	List of length 250
plotOrder	integer [250]	8 16 87 11 85 91 ...
bbox	double [2 x 2]	746110 1458754 1387948 2068444
● proj4string	S4 (sp::CRS)	S4 object of class CRS

shp_sp@data 데이터를 뷰어창으로 확인하면 데이터프레임 형태로 확인할 수 있다.

```
#shp_sp@data 데이터 뷰어창으로 확인
> View(shp_sp@data)
```

	SIG_CD	SIG_ENG_NM	SIG_KOR_NM	id
1	42110	Chuncheon-si	춘천시	1
2	42130	Wonju-si	원주시	2
3	42150	Gangneung-si	강릉시	3
4	42170	Donghae-si	동해시	4
5	42190	Taebaek-si	태백시	5
6	42210	Sokcho-si	속초시	6

shp_df 데이터프레임과 shp_sp 데이터프레임의 data를 id 변수를 기준으로 결합한다. 새 데이터프레임 이름은 shp_all로 지정한다.

```
#shp_df와 shp_sp@data 결합
> shp_all <- left_join(shp_df, shp_sp@data, by = "id")

#shp_all 데이터프레임 뷰어창으로 확인
> View(shp_all)
```

	long	lat	order	hole	piece	id	group	SIG_CD	SIG_ENG_NM	SIG_KOR_NM
1	1007462	2008949	1	FALSE	1	1	1.1	42110	Chuncheon-si	춘천시
2	1007512	2008902	2	FALSE	1	1	1.1	42110	Chuncheon-si	춘천시
3	1007698	2008919	3	FALSE	1	1	1.1	42110	Chuncheon-si	춘천시
4	1007797	2008978	4	FALSE	1	1	1.1	42110	Chuncheon-si	춘천시
5	1007921	2008946	5	FALSE	1	1	1.1	42110	Chuncheon-si	춘천시
6	1007947	2008939	6	FALSE	1	1	1.1	42110	Chuncheon-si	춘천시

 참고 시군구 데이터를 CSV 파일로 내 컴퓨터에 저장하기

shp_all 데이터프레임은 csv 파일로 저장해놓으면 다음에 지도 시각화 작업을 할 때 위의 과정을 거칠 필요없이 바로 사용할 수 있다. csv 파일로 내컴퓨터에 저장할 때는 write.csv() 함수를 사용하면 된다.

```
write.csv(x, file = "", append = FALSE, quote = TRUE, sep = " ", eol = "",
          na = "NA", dec = ".", row.names = TRUE, col.names = TRUE,
          qmethod = c("escape", "double"), fileEncoding = "")
```

write.csv() 함수 사용법은 x는 저장할 데이터프레임, file은 저장할 파일 이름(저장경로 포함, 저장 경로가 포함되어 있지 않으면 현재 작업폴더에 저장됨)을 의미한다. 다른 옵션들은 기본값을 사용한다. append는 기존 파일에 이어쓸지 덮어쓸지 결정(TRUE : 이어쓰기)하는 것이고, quote는 TRUE로 설정 시 각 값에 큰따옴표가 생성된다. eol(end of line)은 한 줄의 끝을 무엇으로 나타낼지 결정하는 것이고, na는 결측값을 어떻게 처리할지, dec는 소수점을 무엇으로 표시할지, row.names는 행 이름의 유무, col..names는 열 이름의 유무를 의미한다.

저장할 파일명은 나중에도 확인이 가능하도록 sigungu.csv로 지정하여 저장한다.

```
#shp_all 데이터프레임 csv파일로 내컴퓨터에 저장하기
> write.csv(shp_all, file = "C:/Users/Desktop/R_sample/sigungu.csv")
```

	A	B	C	D	E	F	G	H	I	J	K
1		long	lat	order	hole	piece	id	group	SIG_CD	SIG_ENG_NM	SIG_KOR_NM
2	1	1007462.095	2008948.792	1	FALSE	1	1	1.1	42110	Chuncheon-si	춘천시
3	2	1007512.15	2008901.981	2	FALSE	1	1	1.1	42110	Chuncheon-si	춘천시
4	3	1007698.351	2008919.163	3	FALSE	1	1	1.1	42110	Chuncheon-si	춘천시
5	4	1007797.03	2008977.795	4	FALSE	1	1	1.1	42110	Chuncheon-si	춘천시
6	5	1007920.526	2008946.239	5	FALSE	1	1	1.1	42110	Chuncheon-si	춘천시
7	6	1007947.291	2008939.41	6	FALSE	1	1	1.1	42110	Chuncheon-si	춘천시
8	7	1008013.525	2008933.089	7	FALSE	1	1	1.1	42110	Chuncheon-si	춘천시
9	8	1008199.694	2008915.348	8	FALSE	1	1	1.1	42110	Chuncheon-si	춘천시
10	9	1008270.627	2008905.408	9	FALSE	1	1	1.1	42110	Chuncheon-si	춘천시
11	10	1008357.648	2008893.196	10	FALSE	1	1	1.1	42110	Chuncheon-si	춘천시

sigungu.csv CSV파일

9_1_전체_코딩.R

##9.1 Shapefile을 활용한 대한민국 지도 시각화

##9.1.1 shapefile 불러오기

```
#sf 패키지 설치 및 로드
install.packages("sf")
library(sf)

#dplyr, stringr 패키지 로드
library(dplyr)
library(stringr)
```

```r
#shapefile 불러오기
shp_sf <- st_read(file.choose())

#shp_sf 데이터프레임 상위 데이터 확인 - 한글깨짐 확인
head(shp_sf)

#SIG_KOR_NM의 인코딩을 CP949에서 UTF-8으로 변경
shp_sf$SIG_KOR_NM <- iconv(shp_sf$SIG_KOR_NM,
                from = "cp949", to = "UTF-8",
                sub = NA, mark = TRUE, toRaw = FALSE)

##9.1.2  shapefile을 데이터프레임으로 변환

#sf data.frame을 SpatialPolygonsDataFrame으로 변환
shp_sp <- as_Spatial(shp_sf)

#shapefile을 데이터프레임으로 변환
library(ggplot2)
shp_df <- fortify(shp_sp)

##9.1.3  ggplot2 패키지로 지도 시각화

#ggplot으로 지도 시각화
ggplot(data = shp_df, aes(x = long, y = lat, group = group)) +
  geom_path(color = "black")

##9.1.4  행정구역의 위치정보와 메타데이터 속성의 결합

#shp_sp 데이터프레임에 id 변수(결합기준 변수) 추가
shp_sp@data$id <- rownames(x = shp_sp@data)

#shp_df와 shp_sp@data 결합
shp_all <- left_join(shp_df, shp_sp@data, by = "id")

#shp_all 데이터프레임 csv파일로 내컴퓨터에 저장하기
write.csv(shp_all, file = "C:/Users/Desktop/R_sample/sigungu.csv")
```

▸▸ 9.2 서울시 지도 시각화

9.1절에서 Shapefile을 활용하여 대한민국의 지도를 시각화해보았다. 9.2절에서는 행정구역의 위치정보와 메타데이터 속성을 결합한 shp_all 데이터프레임에서 서울 지역만 추출하여 서울시 지도를 시각화해보자.

RStudio에서 서울특별시 지도를 그리기 위해선 서울특별시에 있는 모든 구의 좌표(경도, 위도 등)가 필요하다. shp_all 데이터프레임의 SIG_CD(시군구코드)에서 서울특별시에 해당하는 코드만 추출한다. 9.1.1.1절의 [표 9.2]를 참고하여 시군구코드가 11로 시작하는 모든 행을 추출한다.

str_detect() 함수는 stringr 패키지에 포함된 함수로 주어진 데이터들에서 특정 문자가 있는지 검사해서 TRUE 또는 FALSE를 출력하는 함수이다.

---

str_detect(string, pattern, negate = FALSE)

---

str_detect() 함수 사용법은 string에 문자열(또는 데이터프레임), pattern은 찾는 문자열, negate는 FALSE면 일치하는 값, TRUE이면 일치하지 않는 값을 의미한다.

pattern의 찾는 문자열에서 전체 문자열이 아닌 일부 문자열의 찾는 경우 정규표현식을 사용한다. '^문자'를 사용하면 시작하는 문자가 해당 문자인 문자열을 찾고, '문자$'를 사용하면 끝나는 문자가 해당 문자인 문자열을 찾아 검사한다.

```
#dplyr, stringr 패키지 로드 (9.1절에 이어서 작성하는 경우 생략 가능)
> library(dplyr)
> library(stringr)

#shp_all 데이터프레임에서 서울특별시 행 추출
> seoul_shp <- shp_all %>% filter(str_detect(SIG_CD, "^11"))
```

```
> seoul_shp
      long     lat  order hole piece  id group SIG_CD SIG_ENG_NM SIG_KOR_NM
1  956615.5 1953567    1  FALSE    1 141 141.1  11110   Jongno-gu        종로구
2  956621.6 1953565    2  FALSE    1 141 141.1  11110   Jongno-gu        종로구
3  956626.2 1953564    3  FALSE    1 141 141.1  11110   Jongno-gu        종로구
4  956638.8 1953562    4  FALSE    1 141 141.1  11110   Jongno-gu        종로구
5  956659.1 1953559    5  FALSE    1 141 141.1  11110   Jongno-gu        종로구
6  956661.5 1953558    6  FALSE    1 141 141.1  11110   Jongno-gu        종로구
...
```

shp_all 데이터프레임의 long(경도)을 x축으로 설정하고, lat(위도)를 y축으로 설정한다. 도시별로 그려지도록 group을 설정한다. geom_polygon() 함수를 이용하여 구별로 다각형을 만들 수 있고, 다각형별로 채우기 및 테두리 색을 설정한다. ggplot() 그래프는 회색 바탕에 흰색 격자선이 기본 배경으로 설정되어 있는데, theme_void()를 사용하면 바탕색이나 격자선 등 theme 항목이 안보이게 설정할 수 있다.

```
#ggplot2 패키지 로드 (9.1절에 이어서 작성하는 경우 생략 가능)
> library(ggplot2)

#서울특별시 지도 시각화
> ggplot(data = seoul_shp, aes(x = long, y = lat, group = group)) +
+   geom_polygon(fill = "royal blue", color = "white") +
+   theme_void()
```

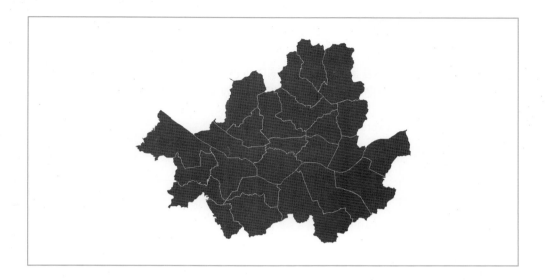

다른 지역도 해당 지역의 시군구코드로 시작하는 모든 행을 추출하면 지도를 시각화
할 수 있다.

```
#광주광역시 지도 시각화
> shp_all %>%
+   filter(str_detect(SIG_CD, "^29")) %>%
+   ggplot(aes(x = long, y = lat, group = group)) +
+   geom_polygon(fill = "pink", color = "white") +
+   theme_void()
```

참고   **R의 정규표현식(Regular Expression)**

정규표현식은 메타 문자(특수한 문자/기호)를 이용하여 이루어진 패턴으로 프로그래밍 언어에서 문자열의 검색, 치환, 추출을 위해 지원하고 있기 때문에 매우 유용하게 사용될 수 있다.

R의 정규표현식(Regular Expression)

정규식	설명
₩d	숫자(0, 1, 2, …)
₩D	숫자가 아닌 것
₩s	공백
₩S	공백이 아닌 것
₩w	단어
₩W	단어가 아닌 것
₩t	Tab
₩n	New Line (엔터 문자)
^	시작되는 글자
$	마지막 글자
}	Escape Character (탈출 문자)
|	두 개 이상의 조건 (OR)
[a-z]	영어 소문자
[A-z]	모든 영문자 (모든 대·소문자)
i+	i가 최소 1회는 나오는 경우
i*	i가 최소 0회 이상 나오는 경우
i?	i가 최소 0회에서 최대 1회만 나오는 경우 (optional)
in	i가 연속적으로 n회 나오는 경우
in1,n2	i가 n1에서 n2회 나오는 경우
in,	i가 n회 이상 나오는 경우 (',' 뒤의 공백 유의)
[:alnum:]	문자와 숫자가 나오는 경우 : [:alpha:] and [:digit:]
[:alpha:]	문자가 나오는 경우 : [:lower:] and [:upper:]
[:blank:]	공백이 있는 경우
[:cntrl:]	제어문자가 있는 경우
[:digit:]	0 ~ 9
[:graph:]	Graphical characters : [:alnum:] and [:punct:]
[:lower:]	소문자가 있는 경우
[:print:]	숫자, 문자, 특수문자, 공백 모두
[:space:]	공백문자
[:upper:]	대문자가 있는 경우
[:xdigit:]	16진수가 있는 경우

```
9_2_전체_코딩.R
##9.2  서울시 지도 시각화

#shp_all 데이터프레임에서 서울특별시 행 추출
seoul_shp <- shp_all %>% filter(str_detect(SIG_CD, "^11"))

#서울특별시 지도
ggplot(data =  seoul_shp, aes(x = long, y = lat, group = group)) +
  geom_polygon(fill = "royal blue", color = "white") +
  theme_void()

#광주광역시 지도
shp_all %>%
  filter(str_detect(SIG_CD, "^29")) %>%
  ggplot(aes(x = long, y = lat, group = group)) +
  geom_polygon(fill = "pink", color = "white") +
  theme_void()
```

▶ 9.3   서울시 초미세먼지 단계구분도

서울지역 일평균 초미세먼지 데이터를 활용하여 지도 시각화로 표현해보자. 이번에
작성할 그래프는 지도상에 데이터 수치를 단계별로 색을 써서 나타내는 단계구분도
이다.

단계구분도는 지역의 영역마다 데이터의 크기인 통계치를 색깔의 차이로 표현하고
있어서 지역별로 특성이 얼마나 다른지 쉽게 이해할 수 있다. 코로나19 감염률도 단
계구분도로 표현을 하면 확진 환자 수의 크기에 따라 나라별, 지역별로 색을 다르게
표현하여 어디에서 확진 환자가 많이 발생하는지 쉽게 파악할 수 있다.

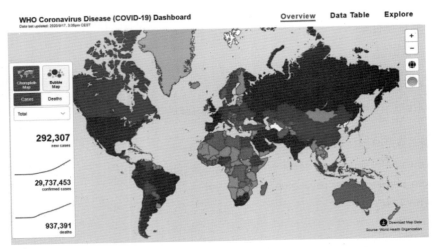

2020년 9월 기준 WHO의 코로나19 바이러스 전세계 집계 대시보드
출처:WHO

서울지역 일평균 초미세먼지 데이터로 단계구분도를 작성할 때에는 다음의 4단계를 거쳐 작성한다. 첫 번째, 서울지역 일평균 초미세먼지 데이터를 수집하고, 데이터프레임으로 만든다. 두 번째, 생성한 초미세먼지 데이터프레임과 시군구 데이터프레임을 병합한 통합 데이터프레임을 만든다. 세 번째, 통합 데이터프레임을 활용하여 서울시 각 구마다 초미세먼지 현황을 단계구분도 지도로 작성한다. 네 번째, plotly 패키지를 사용하여 앞서 작성했던 단계구분도를 인터렉티브한 단계구분도로 변경하여 지도 위에 마우스 커서를 올리면 초미세먼지 농도 수치와 측정소명이 표시되도록 한다.

9.3.1 서울시 초미세먼지 데이터 수집

한국환경공단은 언제 어디서든지 실시간으로 대기정보를 확인할 수 있는 전국 실시간 대기오염도 공개 홈페이지 에어코리아(https://www.airkorea.or.kr/)를 운영하고 있다. 에어코리아는 전국 162개 시, 군에 설치된 600개의 도시대기 측정망, 국가배경농도 측정망, 교외대기 측정망, 도로변대기 측정망, 항만대기 측정망에서 측정된 대기환경기준물질의 측정 자료를 다양한 형태로 표출하여 실시간으로 제공하고 있다.

또한, 기상청에서 운영하는 황사경보제와 지자체에서 운영하는 오존경보제 등의 자료도 함께 공개하고 있다.

에어코리아 사이트에 접속하여 2022년 1월 일평균 서울지역의 초미세먼지 정보를 조회하여 엑셀파일을 다운받는다.

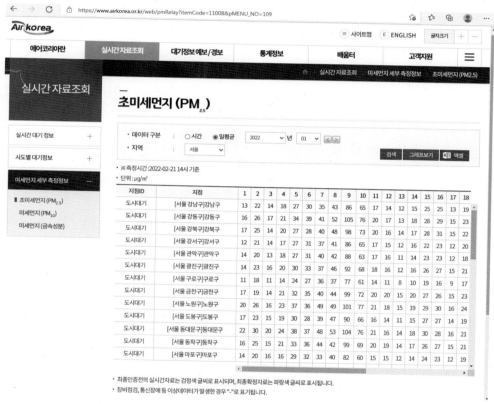

에어코리아(https://www.airkorea.or.kr/) 홈페이지

다운받은 엑셀파일 dustDetailInfo.xls 파일을 열어보면 서울시에 있는 각 구별로 1일부터 31일 동안 측정한 초미세먼지 일평균 측정정보가 저장되어 있다.

	A	B	C	D	E	F	G	H
1								
2								
3								
4	측정망	측정소명	1일	2일	3일	4일	5일	6일
5	도시대기	[서울 강남구]강남구	13	22	14	18	27	30
6	도시대기	[서울 강동구]강동구	16	26	17	21	34	39
7	도시대기	[서울 강북구]강북구	17	25	14	20	27	28
8	도시대기	[서울 강서구]강서구	12	21	14	17	27	31
9	도시대기	[서울 관악구]관악구	14	20	13	18	27	31
10	도시대기	[서울 광진구]광진구	14	23	16	20	30	33

dustDetailInfo.xls 엑셀파일

dustDetailInfo.xls 엑셀파일에서 실제 데이터는 [A4]셀부터 들어있으므로 RStudio에서 파일을 불러올 때 필요한 데이터가 있는 행들만 불러온다. 새로운 데이터프레임 이름은 dust로 지정한다.

```
#dustDetailInfo.xls 파일 불러오기
> library(readxl)
> dust <- read_excel("dustDetailInfo.xls",
+              col_names = T,
+              sheet = 1,
+              range = cell_rows(4:29))

#dust 데이터프레임 뷰어창으로 확인
> View(dust)
```

	측정망	측정소명	1일	2일	3일	4일	5일	6일	7일	8일	9일	10일
1	도시대기	[서울 강남구]강남구	13	22	14	18	27	30	35	43	86	65
2	도시대기	[서울 강동구]강동구	16	26	17	21	34	39	41	52	105	76
3	도시대기	[서울 강북구]강북구	17	25	14	20	27	28	40	48	98	73
4	도시대기	[서울 강서구]강서구	12	21	14	17	27	31	37	41	86	65
5	도시대기	[서울 관악구]관악구	14	20	13	18	27	31	40	42	88	63
6	도시대기	[서울 광진구]광진구	14	23	16	20	30	33	37	46	92	68

dust 데이터프레임에서 '측정소명'을 보면 대괄호([ ]) 속에 측정소명이 반복된 것을 확인할 수 있다. 대괄호 부분은 삭제하여 대괄호 뒤에 구 이름만 남길 수 있도록 수정한다.

stringr 패키지에서 문자의 치환과 삭제에 자주 사용되는 함수는 str_replace() 함수와 str_replace_all() 함수가 있다. str_replace() 함수는 처음으로 매칭하는 값만의 문자를 치환하거나 삭제할 때 사용하고, str_replace_all() 함수는 매칭하는 모든 값의 문자를 치환하거나 삭제할 때 사용하는 함수이다. 측정소명의 경우 모든 대괄호의 문자열을 삭제해야 하므로 str_replace_all() 함수를 사용한다.

---

str_replace_all(string, pattern, replacement)

---

str_replace_all() 함수 사용법은 string은 문자열(또는 데이터프레임), pattern은 변환할 문자열, replacement는 대체할 문자열을 의미한다.

\#dplyr, stringr 패키지 로드 (9.1절 또는 9.2절에 이어서 작성하는 경우 생략 가능)
> library(dplyr)
> library(stringr)

\#측정소명 데이터 수정하기
> dust$측정소명 <- dust$측정소명 %>% str_replace_all("₩[.+₩]", "")

\#dust 데이터프레임 뷰어창으로 확인
> View(dust)

	측정망	측정소명	1일	2일	3일	4일	5일	6일	7일	8일	9일	10일
1	도시대기	강남구	13	22	14	18	27	30	35	43	86	65
2	도시대기	강동구	16	26	17	21	34	39	41	52	105	76
3	도시대기	강북구	17	25	14	20	27	28	40	48	98	73
4	도시대기	강서구	12	21	14	17	27	31	37	41	86	65
5	도시대기	관악구	14	20	13	18	27	31	40	42	88	63
6	도시대기	광진구	14	23	16	20	30	33	37	46	92	68

9.3.2 초미세먼지 데이터와 시군구 데이터를 병합한 통합 데이터 생성

초미세먼지 데이터프레임을 만들었으면 서울지역 위치정보를 담고 있는 시군구 데이터프레임과 병합하여 통합 데이터프레임을 만들어야 한다. 시군구 데이터프레임은 9.1.4절에서 생성한 shp_all 데이터프레임을 사용한다. 또는 9.1.4절의 [참고]에서 shp_all 데이터프레임을 CSV 파일로 내컴퓨터에 저장했는데, 저장한 CSV을 불러와서 사용하면 된다. 다시 작성해야 한다면 9.1.1절~9.1.4절을 참고하여 생성한다.

저장한 CSV 파일 sigungu.csv를 불러와서 새로운 데이터프레임에 저장한다. 이번에는 read.csv() 함수가 아닌 readr 패키지의 read_csv() 함수를 사용하여 CSV 파일을 불러온다. 새로운 데이터프레임 이름은 sigungu로 지정한다.

readr 패키지는 데이터사이언스를 위해 구성된 tidyverse 패키지 중 하나이다. Hadley Wickham에 의해서 개발되었으며, 파일에서 데이터를 읽거나 데이터를 파일로 내보내거나 문자열을 구문 분석할 때 사용하는 함수를 정리한 패키지로 처리속도가 빠르고, 사용이 쉽고, 일관성이 있다는 장점이 있다. readr 패키지를 사용하면 csv나 tsv, fwf와 같은 격자형의 데이터를 쉽고 편하게 불러올 수 있다. readr 패키지는 tidyverse 패키지의 일부이므로 tidyverse 패키지 전체를 설치해도 되고, readr 패키지만 따로 설치해도 된다.

read.csv() 함수와 read_csv() 함수의 차이점은 read.csv() 함수는 data.frame을 반환하고, read_csv() 함수는 tibble형태의 데이터를 반환한다. 그리고 파일을 불러오는

속도가 read.csv() 함수보다 read_csv() 함수가 10배 이상 빠르다. 또한 read.csv() 함수는 운영체제 및 환경변수의 일부 동작을 상속하므로 자신의 컴퓨터에서 작동하는 불러오기 코드가 다른 사람의 컴퓨터에서 작동하지 않을 수 있다.

```
#sigungu.csv 불러오기
> install.packages("readr")
> library(readr)
> sigungu <- read_csv("sigungu.csv")
Rows: 1338713 Columns: 10
-- Column specification --------------------------------
Delimiter: ","
chr (2):        SIG_ENG_NM, SIG_KOR_NM
dbl (7):        long, lat, order, piece, id, group, SIG_CD
lgl (1):        hole

i Use `spec()` to retrieve the full column specification for this data.
i Specify the column types or set `show_col_types = FALSE` to quiet this message.

> class(sigungu)
[1] "spec_tbl_df" "tbl_df"    "tbl"        "data.frame"

#sigungu 데이터프레임 뷰어창으로 데이터 확인
> View(sigungu)
```

	long	lat	order	hole	piece	id	group	SIG_CD	SIG_ENG_NM	SIG_KOR_NM
1	1007462	2008949	1	FALSE	1	1	1.1	42110	Chuncheon-si	춘천시
2	1007512	2008902	2	FALSE	1	1	1.1	42110	Chuncheon-si	춘천시
3	1007698	2008919	3	FALSE	1	1	1.1	42110	Chuncheon-si	춘천시
4	1007797	2008978	4	FALSE	1	1	1.1	42110	Chuncheon-si	춘천시
5	1007921	2008946	5	FALSE	1	1	1.1	42110	Chuncheon-si	춘천시
6	1007947	2008939	6	FALSE	1	1	1.1	42110	Chuncheon-si	춘천시

시군구 데이터프레임은 초미세먼지 데이터프레임과 병합하여 통합 데이터프레임을 만들어하는데, 병합할 때 병합의 기준이 되는 변수가 존재해야 한다. 두 데이터프레임의 공통 변수는 SIG_KOR_NM(측정소명)이다. 초미세먼지 데이터프레임에서는 '측정소명'으로 설정되어 있고, 시군구 데이터프레임에서는 'SIG_KOR_NM'로 되어 있으므로 통일시켜주어야 한다. 시군구 데이터프레임의 'SIG_KOR_NM'을 '측정소명'으로 변수명을 변경한다.

```
#SIG_KOR_NM 변수명 변경
> names(sigungu)[10] <- c("측정소명")

#sigungu 데이터프레임 뷰어창으로 데이터 확인
> View(sigungu)
```

	long	lat	order	hole	piece	id	group	SIG_CD	SIG_ENG_NM	측정소명
1	1007462	2008949	1	FALSE	1	1	1.1	42110	Chuncheon-si	춘천시
2	1007512	2008902	2	FALSE	1	1	1.1	42110	Chuncheon-si	춘천시
3	1007698	2008919	3	FALSE	1	1	1.1	42110	Chuncheon-si	춘천시
4	1007797	2008978	4	FALSE	1	1	1.1	42110	Chuncheon-si	춘천시
5	1007921	2008946	5	FALSE	1	1	1.1	42110	Chuncheon-si	춘천시
6	1007947	2008939	6	FALSE	1	1	1.1	42110	Chuncheon-si	춘천시

초미세먼지 데이터프레임은 서울지역에만 해당하는 데이터이며, 시군구 데이터프레임은 전국 데이터이기 때문에, 시군구 데이터프레임에서 서울에 해당하는 행만 추출하여 새로운 데이터프레임을 생성한다. 서울 지역은 SIG_CD(시군구 코드)가 '11***'이므로 11로 시작하는 값을 찾도록 str_detect() 함수와 정규표현식(^)을 사용한다. 새 데이터프레임 이름은 seoul로 지정한다.

```
#sigungu 데이터프레임에서 '서울' 지역만 추출하기
> seoul <- sigungu %>% filter(str_detect(SIG_CD, "^11"))

#seoul 데이터프레임 뷰어창으로 데이터 확인
> View(seoul)
```

	long	lat	order	hole	piece	id	group	SIG_CD	SIG_ENG_NM	측정소명
1	956615.5	1953567	1	FALSE	1	141	141.1	11110	Jongno-gu	종로구
2	956621.6	1953565	2	FALSE	1	141	141.1	11110	Jongno-gu	종로구
3	956626.2	1953564	3	FALSE	1	141	141.1	11110	Jongno-gu	종로구
4	956638.8	1953562	4	FALSE	1	141	141.1	11110	Jongno-gu	종로구
5	956659.1	1953559	5	FALSE	1	141	141.1	11110	Jongno-gu	종로구
6	956661.5	1953558	6	FALSE	1	141	141.1	11110	Jongno-gu	종로구

초미세먼지 데이터프레임과 서울지역 위치정보를 담고 있는 시군구 데이터프레임과 병합하여 통합 데이터프레임을 생성한다. 병합 기준 변수는 '측정소명'을 사용한다. 새 데이터프레임 이름은 dust_seoul로 지정한다.

```
#dust 데이터프레임과 seoul 데이터프레임 합치기 (통합 데이터프레임)
> dust_seoul <- dust %>% right_join(seoul, by = "측정소명")

#dust_seoul 데이터 뷰어창으로 확인
> View(dust_seoul)
```

	측정망	측정소명	1일	2일	31일	long	lat	order	hole	piece	id	group	SIG_CD	SIG_ENG_NM
1	도시대기	강남구	13	22	18	959331.6	1948602	1	FALSE	1	163	163.1	11680	Gangnam-gu
2	도시대기	강남구	13	22	18	959342.0	1948600	2	FALSE	1	163	163.1	11680	Gangnam-gu
3	도시대기	강남구	13	22	18	959376.9	1948595	3	FALSE	1	163	163.1	11680	Gangnam-gu
4	도시대기	강남구	13	22	18	959467.5	1948563	4	FALSE	1	163	163.1	11680	Gangnam-gu
5	도시대기	강남구	13	22	18	959697.4	1948487	5	FALSE	1	163	163.1	11680	Gangnam-gu
6	도시대기	강남구	13	22	18	959703.1	1948485	6	FALSE	1	163	163.1	11680	Gangnam-gu

9.3.3 서울시 초미세먼지 단계구분도

dust_seoul 데이터프레임의 데이터로 단계구분도를 그려보자. 단계구분도는 데이터 수치를 단계별 색깔의 차이로 표현하기 때문에 색깔이 중요하다.

R에서는 색깔을 위해 팔레트(palette)를 제공하고, 이 팔레트에 정의된 색상 세트를 사용한다. 팔레트를 제공하는 여러 패키지가 있으며, 각각의 패키지의 특성에 맞는 색상 세트를 제공한다. R에서 많이 사용하는 팔레트 패키지 중 하나가 viridis 패키지이다.

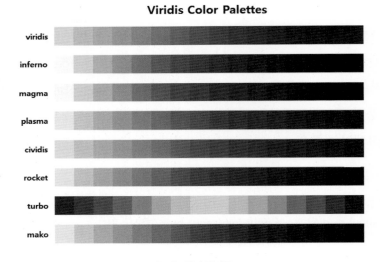

viridis 컬러 팔레트

viridis 패키지에서 제공하는 팔레트는 색맹이나 색약인 사람들도 그래프의 색상을 통해 데이터 구분이 가능하도록 설계되어 있다. 또한 이 팔레트의 색상 구조는 흑백으로 인쇄될 때를 고려하여 설계된 색상 팔레트이기 때문에 출력물에 유용하게 사용될 수 있다.

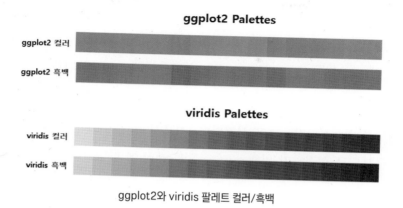

ggplot2와 viridis 팔레트 컬러/흑백

dust_seoul 데이터프레임의 데이터 중 2022년 1월 1일의 초미세먼지 데이터로 단계구분도를 그려보자. dust_seoul 데이터프레임의 long(경도)을 x축으로 설정하고, lat(위도)를 y축으로 설정한다. 도시별로 그려지도록 group을 설정한다. 색은 '1일' 데이터를 기준으로 지역별 색깔을 차이를 주기 위해서 fill을 '1일'로 설정한다. geom_polygon() 함수를 이용하여 구별로 다각형을 만들고, 다각형별로 테두리 색을 'white'로 설정하고, theme_void()를 사용하여 바탕색이나 격자선 등 theme 항목이 안보이게 설정한다.

viridis 패키지의 scale_fill_viridis() 함수는 면의 채우기(fill) 색상을 지정할 때 사용한다.

scale_fill_viridis(..., alpha = 1, begin = 0, end = 1, direction = 1, discrete = FALSE, option = "D")

scale_fill_viridis() 함수 사용법은 alpha는 그래프 색깔의 투명도(0~1), begin은 색상 맵에서 시작되는 색 위치(0~1), end는 끝 위치(0~1), direction은 색을 칠하는 팔레트의 방향이다. 기본 값으로 1이 설정되어 있고, 팔레트의 역순으로 색을 칠할 때에는 −1을 적으면 된다. discrete는 데이터가 연속적인(continuous) 데이터로 색을 칠하는 경우 FALSE로 기본 값이 설정되어 있고, 이산적인(discrete) 데이터로 색을 칠하는 경우 TRUE를 적으면 된다. option에 채우고자 하는 색상 팔레트를 적으면 된다. 기본 값으로 viridis(or D)가 설정되어 있고, 그 외에 magma(or A), inferno(or B), plasma(or C), cividis(or E), rocket(or F), mako(or G), turbo(or H)가 있다.

단계구분도의 색상은 기본 설정 되어있는 viridis를 사용하고, 색상은 팔레트 역순으로 칠해지도록 direction을 -1로 설정한다. 서울시 초미세먼지 단계구분도는 인터렉티브 단계구분도로 설정하기 위해 dust_seoul_graph에 할당한다.

```
#서울시 초미세먼지 단계구분도
> install.packages("viridis")
> library(viridis)
> library(ggplot2)
> dust_seoul_graph <- dust_seoul %>%
+   ggplot(aes(x = long, y = lat, group = group, fill = '1일', label = 측정소명)) +
+   geom_polygon(color = "white") +
+   theme_void() +
+   scale_fill_viridis(name = paste("2022년 1월 1일초미세먼지(㎍/m³)"), direction = -1)
> dust_seoul_graph
```

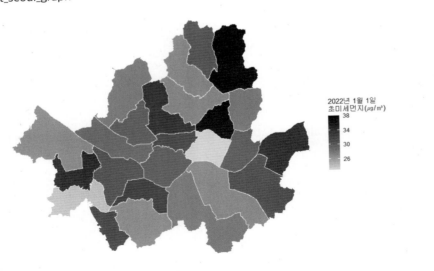

9.3.4 서울시 초미세먼지 인터렉티브 단계구분도

인터렉티브(interactive) 그래프는 마우스 움직임에 반응하며 실시간으로 형태가 변하는 그래프를 말한다. 인터랙티브 그래프를 만들면 그래프를 마우스로 자유롭게 조작하면서 관심 있는 부분을 자세히 살펴볼 수 있다. ggplot2로 만든 그래프를 plotly 패키지의 ggplotly() 함수에 적용하면 인터랙티브 그래프가 만들어진다.

9.3.4절에서 만든 그래프를 dust_seoul_graph에 할당하였다. dust_seoul_graph 그래프를 ggplotly() 함수에 적용하면 인터랙티브 그래프를 그릴 수 있다. 색으로 구분된 도시에 마우스를 갖다대보면 초미세먼지 측정값과 초미세먼지를 측정한 측정소명을 확인할 수 있다.

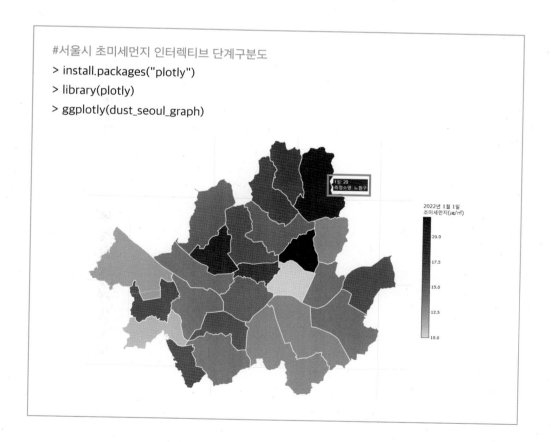

9_3_전체_코딩.R

```
##9.3  서울시 초미세먼지 단계구분도

##9.3.1  서울시 초미세먼지 데이터 수집

#dustDetailInfo.xls 파일 불러오기
library(readxl)
dust <- read_excel("dustDetailInfo.xls", col_names = T,
            sheet = 1, range = cell_rows(4:29))

#측정소명 데이터 수정하기
dust$측정소명 <- dust$측정소명 %>%
  str_replace_all("₩[.+₩]", "")

##9.3.2  초미세먼지 데이터와 시군구 데이터를 병합한 통합 데이터 생성

#sigungu.csv 불러오기
install.packages("readr")
library(readr)
sigungu <- read_csv("C:/Users/Desktop/R_sample/sigungu.csv")

#SIG_KOR_NM 변수명 변경
names(sigungu)[10] <- c("측정소명")

#sigungu 데이터프레임에서 '서울' 지역만 추출하기
seoul <- sigungu %>% filter(str_detect(SIG_CD, "^11"))

#dust 데이터프레임과 seoul 데이터프레임 합치기 (통합 데이터프레임)
dust_seoul <- dust %>% right_join(seoul, by = "측정소명")
#9.3.3  서울시 초미세먼지 단계구분도

#서울시 초미세먼지 단계구분도
install.packages("viridis")
library(viridis)
library(ggplot2)
```

```
dust_seoul_graph <- dust_seoul %>%
  ggplot(aes(x = long, y = lat, group = group, fill = '1일', label = 측정소명)) +
  geom_polygon(color = "white") +
  theme_void() +
  scale_fill_viridis(name = paste("2022년 1월 1일초미세먼지(㎍/㎥)"), direction = -1)
dust_seoul_graph

#9.3.4  서울시 초미세먼지 인터렉티브 단계구분도

#서울시 초미세먼지 인터렉티브 단계구분도
install.packages("plotly")
library(plotly)
ggplotly(dust_seoul_graph)
```

CHAPTER **10**

대기오염 측정데이터 분석

한국환경공단이 운영하는 에어코리아(http://www.airkorea.or.kr) 에서 제공하는 전국대기오염 데이터를 활용하여 대기오염 측정데이터를 분석해본다.

측정망에서 측정하고 있는 아황산가스, 일산화탄소, 이산화질소, 오존, 미세먼지등 대기오염도 데이터 중 대기오염데이터(2015년 ~ 2019년)를 분석한다. 원데이터는 전국단위의 정보를 저장하고 있고, 크기 연도별 데이터의 구조가 다르기 때문에 분석에 용이하도록 형태를 통일한 후 서울, 강릉, 목포 3개 지역 측정소 자료를 분석해본다.

데이터 구성은 아래 표와 같고, 미세먼지(PM10)를 중심으로 분석한다.

열	내용
loc	측정소 코드(111123:서울 종로구, 632132:강릉옥천동, 336111:목포시 용당동)
mdate	측정일시(1시간단위로 측정)
502	아황산가스
co	일산화탄소
03	오존
NO2	이산화질소
PM10	미세먼지(입경 10um 이하)
PM25	초미세먼저(입경 2.5um 이하)

실습하기 대기오염 측정데이터를 분석

[1단계] 실습데이터 준비

5개년도 측정데이터 파일을 읽어서 ds에 다음과 같이 모두 저장한다.

```
> setwd('C:/Rworks')
> files <- c('ds.2015.csv', 'ds.2016.csv', 'ds.2017.csv', 'ds.2018.csv', 'ds.2019.csv')
> ds <- NULL
> for (f in files){
+   tmp <- read.csv(f, header=T)
+   ds <- rbind(ds, tmp)
+   print(f)
+ }
[1] "ds.2015.csv"
[1] "ds.2016.csv"
[1] "ds.2017.csv"
[1] "ds.2018.csv"
[1] "ds.2019.csv"
```

[2단계] 분석할 데이터 내용 확인

```
> str(ds)
'data.frame':        131472 obs. of  8 variables:
 $ loc  : int  632132 632132 632132 632132 632132 632132 632132 632132
632132 632132 ...
 $ mdate: int  2015010101 2015010102 2015010103 2015010104
2015010105 2015010106 2015010107 2015010108 2015010109
2015010110 ...
 $ SO2  : num  0.005 0.006 0.005 0.006 0.005 0.005 0.005 0.005 0.006 0.006 ...
 $ CO   : num  0.6 0.6 0.7 0.6 0.6 0.6 0.6 0.6 0.6 0.6 ...
 $ O3   : num  0.025 0.023 0.022 0.021 0.021 0.02 0.02 0.018 0.018 0.019 ...
 $ NO2  : num  0.005 0.005 0.005 0.005 0.005 0.006 0.006 0.007 0.007 0.006 ...
```

```
 $ PM10 : int  33 35 37 42 47 47 50 59 60 65 ...
 $ PM25 : int  11 8 9 11 8 7 11 9 6 5 ...
> head(ds)
    loc      mdate SO2 CO   O3  NO2 PM10 PM25
1 632132 2015010101 0.005 0.6 0.025 0.005   33   11
2 632132 2015010102 0.006 0.6 0.023 0.005   35   8
3 632132 2015010103 0.005 0.7 0.022 0.005   37   9
4 632132 2015010104 0.006 0.6 0.021 0.005   42   11
5 632132 2015010105 0.005 0.6 0.021 0.005   47   8
6 632132 2015010106 0.005 0.6 0.020 0.006   47   7
> unique(ds$loc)                    # 관측 장소
[1] 632132 111123 336111
> range(ds$mdate)                   # 측정 기간
[1] 2015010101 2019123124

# 열별 결측값 확인
> for (i in 3:8) {
+   cat(names(ds)[i], sum(is.na(ds[,i])), sum(is.na(ds[,i]))/nrow(ds), '')
+ }
SO2 5838 0.04440489
CO 5821 0.04427559
O3 6040 0.04594134
NO2 6515 0.04955428
PM10 7725 0.05875776
PM25 24159 0.1837578
> ds <- ds[,-8]                     # PM25 열 제거
> ds <- ds[complete.cases(ds),]     # 결측값 포함 행 제거
```

ds는 8개의 열에 약 13만 건의 측정 데이터를 포함하고 있다. 관측장소는 3곳이고 측정기간은 2015년 1월 1일 1시부터 2019년 12월 31일 24시까지이다.

열 별로 모든 열에 결측값이 포함되어 있는데, 특히 PM25열은 약 18%가 결측값에서 PM25를 제거하고, 결측값이 포함된 행도 제거 후 분석을 진행한다.

[3단계] 그룹 정보 추가

효과적인 분석을 위해 그룹정보를 추가하여 분석한다. 그룹핑하여 분석하기 위한 전처리 자료를 연도, 월, 시간대로 그룹핑하여 분석하기 위해 측정일시(mdate)열을 문자 타입으로 변환하여 추출한 뒤 여기서 년도, 월, 시간을 분리하여 각각 년도의 열로 저장하였다. 숫자 코드로 되어 있는 측정위치도 도시 이름으로 변환하여 새로운 열에 저장한다.

```
> mdate <- as.character(ds$mdate)
> head(mdate)
[1] "2015010101" "2015010102" "2015010103" "2015010104" "2015010105"
"2015010106"
> ds$year <- as.numeric(substr(mdate, 1, 4))          # 연도
> ds$month <- as.numeric(substr(mdate, 5, 6))         # 월
> ds$hour <- as.numeric(substr(mdate, 9, 10))         # 시간
> ds$locname <- NA                                     # locname 열을 추가
> ds$locname[ds$loc==111123] <- '서울'                # 도시
> ds$locname[ds$loc==336111] <- '목포'                # 도시
> ds$locname[ds$loc==632132] <- '강릉'                # 도시
> head(ds)
     loc    mdate SO2  CO    O3   NO2 PM10 year month hour locname
1 632132 2015010101 0.005 0.6 0.025 0.005  33 2015     1    1    강릉
2 632132 2015010102 0.006 0.6 0.023 0.005  35 2015     1    2    강릉
3 632132 2015010103 0.005 0.7 0.022 0.005  37 2015     1    3    강릉
4 632132 2015010104 0.006 0.6 0.021 0.005  42 2015     1    4    강릉
5 632132 2015010105 0.005 0.6 0.021 0.005  47 2015     1    5    강릉
6 632132 2015010106 0.005 0.6 0.020 0.006  47 2015     1    6    강릉
```

[4단계] 지역별 PM10 농도 분석

지역별 PM10 농도 분포를 확인하기 해보기 위해 다음과 같이 실행해보자.

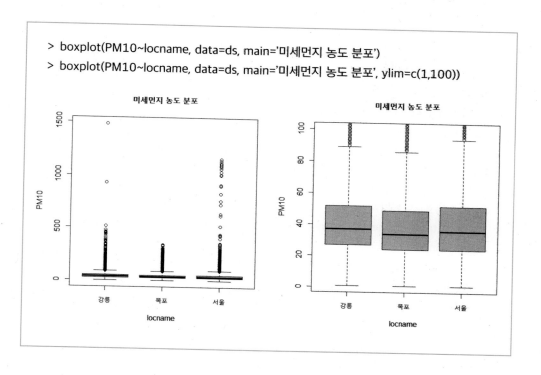

```
> boxplot(PM10~locname, data=ds, main='미세먼지 농도 분포')
> boxplot(PM10~locname, data=ds, main='미세먼지 농도 분포', ylim=c(1,100))
```

첫 번째 상자 그림을 보면 세 지역 모두 정산 범위보다 미세먼지 농도가 극단적으로 높아지는 지점이 존재한다. 특히 목포에 비해 서울과 강릉 지역이 더 심하다는 것을 확인할 수 있다. 두 번째 상자그림은 미세먼지 농도 범위를 100이하로 제한하여 작성한 것으로 세 지역 모두 정상 범위는 30에서 52 사이로 비슷함을 확인 할 수 있다.

[5단계] 연도별, 지역별 PM10 농도 추이

연도별, 지역별 PM10 농도 추이를 확인해보자. ds 데이터에서 연도와 지역을 기준으로 평균 농도를 집계한 후 선 그래프로 작성한다. 전체적으로 2018년까지는 미세먼지 농도가 감소하는 추세를 보이다가 2019년도에 다시 증가하는 추세를 보인다. 목표지역은 미세먼지 농도가 두 지역보다 적은 것을 확인할 수 있다.

```
> install.packages("ggplot2")
> library(ggplot2)
> tmp.year <- aggregate(ds[,7], by = list(year = ds$year, loc = ds$locname),
+                        FUN = 'mean')
> tmp.year$loc = as.factor(tmp.year$loc)
> head(tmp.year)
  year loc      x
1 2015 강릉 48.50395
2 2016 강릉 46.98465
3 2017 강릉 43.51509
4 2018 강릉 36.17345
5 2019 강릉 35.73346
6 2015 목포 39.21271
> ggplot(tmp.year, aes(x = year, y = x, colour = loc, group = loc)) +
+ geom_line() +
+ geom_point(size = 6, shape = 19, alpha = 0.5) +
+ ggtitle('연도별 PM10 농도 변화') +
+ ylab('농도')
```

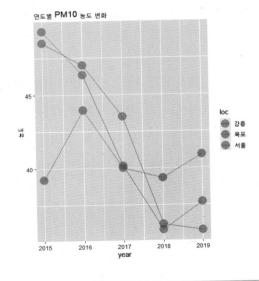

[6단계] 월별, 지역별 PM10 농도 추이

월별, 지역별 PM10 농도 추이를 확인해 보기로 한다. 월별 미세먼지 농도 변화를 보면 겨울에서 봄철로 가면서 미세먼지 농도가 높아지다가 우기인 여름철에는 미세머지 농도가 낮아지는 것을 확인할 수 있다. 서울 지역은 겨울철과 봄철에 미세먼지 농도가 가장 높고, 여름철에는 미세먼지 농도가 가장 낮은 것을 확인할 수 있다.

```
> tmp.month <- aggregate(ds[,7], by = list(month = ds$month, loc = ds$locname),
+                           FUN = 'mean')
> tmp.month$loc = as.factor(tmp.month$loc)
> head(tmp.month)
  month  loc      x
1     1 강릉 42.58224
2     2 강릉 50.58458
3     3 강릉 56.95353
4     4 강릉 52.63149
5     5 강릉 53.31255
6     6 강릉 38.82852
> ggplot(tmp.month, aes(x = month, y = x, colour = loc, group = loc)) +
+ geom_line() +
+ geom_point(size = 6, shape = 19, alpha = 0.5) +
+ ggtitle('월별 PM10 농도 변화') +
+ ylab('농도')
```

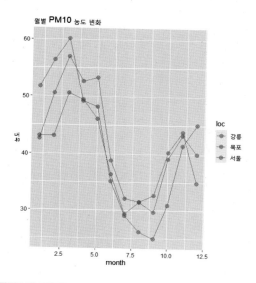

[7단계] 시간대별, 지역별 PM10 농도 추이

시간대별, 지역별 PM10 농도 추이를 확인해보자.

```
> tmp.hour <- aggregate(ds[,7], by = list(hour = ds$hour, loc = ds$locname),
+                            FUN = 'mean')
> tmp.hour$loc = as.factor(tmp.hour$loc)
> head(tmp.hour)
hour loc      x
1    1 강릉 41.71627
2    2 강릉 40.28853
3    3 강릉 40.40870
4    4 강릉 39.53623
5    5 강릉 38.55162
6    6 강릉 38.04002
> ggplot(tmp.hour, aes(x = hour, y = x, colour = loc, group = loc))  +
+ geom_line() +
+ geom_point(size = 3, shape = 19, alpha = 0.5) +
+ ggtitle('시간별 PM10 농도 변화') +
+ ylab('농도')
```

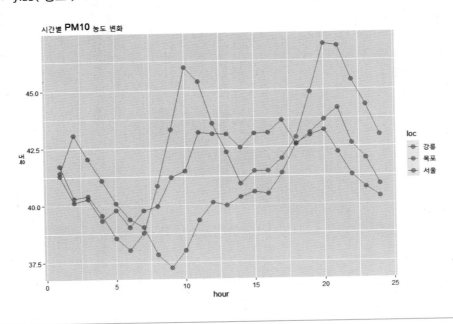

시간대별 미세먼지 농도추이를 보면 아침 시간대에 낮아졌다가 서서히 올라가서 저녁 시간대에 가장 높아지는 것을 확인할 수 있다. 이 그래프를 보면 지역별로 어느 시간대에 실내 환기를 하는 것이 좋은지에 대한 정보를 확인 할 수 있다. 강릉은 시간대별 미세먼지 농도 변화의 폭이 매우 큰데, 아마도 지형의 영향을 많이 받는 것으로 예상된다.

[8단계] 오염물질 농도간의 상관관계

오염물질 농도간의 상관관계를 알아보기 위해 다음과 같이 실행해보자.

```
> set.seed(1234)
> plot(ds[sample(nrow(ds),5000),3:7], lower.panel=NULL)
> cor(ds[,3:7])
```

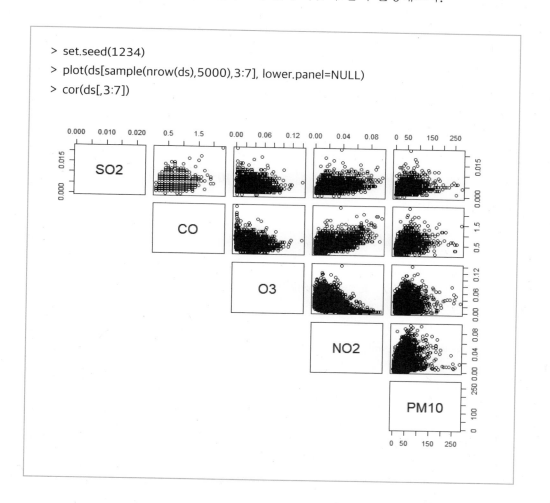

미세머지 농도와 다른 오염물질 간의 상관관계를 확인하기 위해 각 오염물질 별 산점도 그래프를 통하여 상관관계를 살펴본 결과, 특별히 상관성을 보이는 오염물질은 없는 것으로 파악된다.

```
         SO2       CO        O3       NO2       PM10
SO2   1.0000000  0.3561397 -0.09126510  0.4182895 0.28120938
CO    0.3561397  1.0000000 -0.22502479  0.4723789 0.27845309
O3   -0.0912651 -0.2250248  1.00000000 -0.4737260 0.07889194
NO2   0.4182895  0.4723789 -0.47372596  1.0000000 0.23273135
PM10  0.2812094  0.2784531  0.07889194  0.2327313 1.00000000
```

[9단계] 미세먼지 최고점과 최저점 확인

미세먼지 농도가 가장 높았던 달과 가장 낮았던 달을 확인해보자. 미세먼지 농도가 가장 높았던 때는 2015년 2월 서울 지역으로 월 평균 미세먼지 농도가 100에 근접하였고, 미세먼지 농도가 가장 낮았던 때는 2018년 10월 강릉 지역으로 미세먼지 농도가 16.57로 확인된다.

```
> tmp.yml <- aggregate(ds[,7], by = list(year = ds$year, month = ds$month,
+                      loc = ds$locname), FUN = 'mean')

# 가장 미세먼지가 많았던 달
> idx <- which(tmp.yml$x==max(tmp.yml$x))
> tmp.yml[idx,]
 year month  loc       x
123 2015     2 서울 99.06929

# 가장 미세먼지가 적었던 달
> idx <- which(tmp.yml$x==min(tmp.yml$x))
> tmp.yml[idx,]
 year month  loc       x
49 2018    10 강릉 16.57143
```

CHAPTER **11**

전국 일반음식점
표준데이터를 활용한
실전 분석

R BigData Analysis

CONTENTS

11.1   전국일반음식점표준데이터 준비

11.2   전국일반음식점표준데이터 파악

11.3   전국일반음식점표준데이터 전처리

11.4   전국일반음식점표준데이터 분석

전국일반음식점표준데이터 준비

지금까지 배운 데이터 분석 프로그래밍 지식을 활용하여 전국 일반 음식점 표준 데이터를 활용한 실전 분석을 시작해보자.

공공데이터포털은 공공기관이 생성 또는 취득하여 관리하고 있는 공공데이터를 제공하는 사이트이다. 공공데이터포털에서는 국민이 쉽고 편리하게 공공데이터를 이용할 수 있도록 파일데이터, 오픈API, 시각화 등 다양한 방식으로 제공하고 있으며, 누구라도 쉽고 편리한 검색을 통해 원하는 공공데이터를 빠르고 정확하게 찾을 수 있다.

공공데이터포털(http://data.go.kr) 홈페이지

공공데이터포털에서 '전국일반음식점표준데이터'를 검색하여 검색결과의 '표준데이터셋'에 있는 첫 번째 '전국일반음식점표준데이터'를 선택한다.

공공데이터포털에서 '전국일반음식점표준데이터' 검색 결과

'전국일반음식점표준데이터'는 한식, 중식, 일식 등 음식류를 조리 및 판매하며, 식사와 함께 음주행위가 허용되는 업소정보 데이터로 인허가일자, 영업상태, 사업장명, 소재지주소 등의 정보를 포함하고 있다.

공공데이터포털에서 '전국일반음식점표준데이터' 검색 상세 화면

URL의 링크를 클릭하면 데이터를 다운받을 수 있다. 다운받은 압축파일의 압축을 풀면 'fulldata_07_24_04_P_일반음식점.csv' CSV파일을 확인할 수 있다. 파일명의 한글 부분은 삭제한 후 사용한다. 파일명을 변경하지 않고 사용해도 되지만, 한글은 RStudio에서 오류가 발생할 수 있으므로 가급적이면 사용하지 않는다.

fulldata_07_24_04_P.csv 파일 준비

11.2 전국일반음식점표준데이터 파악

RStudio에서 다운받은 'fulldata_07_24_04_P.csv' CSV 파일을 불러온다. 데이터프레임의 이름은 fulldata로 설정한다.

```
#전국일반음식점표준데이터 fulldata_07_24_04_P.csv 불러오기
> fulldata <- read.csv("fulldata_07_24_04_P.csv")
```

fulldata 데이터프레임의 속성 및 구조를 살펴보기 위해 str()함수를 사용한다.

```
#전국일반음식점표준데이터 속성 확인
> str(fulldata)
'data.frame'          : 722440 obs. of  48 variables:
$ 번호               : chr  "1" "2" "3" ...
$ 개방서비스명        : chr  "일반음식점" "일반음식점" "일반음식점" ...
$ 개방서비스아이디    : chr  "07_24_04_P" "07_24_04_P" "07_24_04_P" ...
$ 개방자치단체코드    : chr  "3180000" "4190000" "3460000" ...
$ 관리번호           : chr  "3180000-101-2022-00192" "4190000-101-2021-00036"
                        "3460000-101-2021-00013" ...
$ 인허가일자         : chr  "20220427" "20210122" "20210115" ...
$ 인허가취소일자      : chr  "" "" "" ...
$ 영업상태구분코드    : chr  "03" "03" "03" ...
$ 영업상태명         : chr  "폐업" "폐업" "폐업" ...
$ 상세영업상태코드    : chr  "02" "02" "02" ...
$ 상세영업상태명      : chr  "폐업" "폐업" "폐업" ...
$ 폐업일자           : chr  "20220428" "20210621" "20211119" ...
$ 휴업시작일자        : chr  "" "" "" ...
$ 휴업종료일자        : chr  "" "" "" ...
$ 재개업일자         : chr  "" "" "" ...
$ 소재지전화         : chr  "02 8318412" "" "053 7683004" ...
$ 소재지면적         : chr  "143.00" "10.98" "26.40" ...
$ 소재지우편번호      : chr  "150859" "220903" "706800" ...
$ 소재지전체주소      : chr  "서울특별시 영등포구 ***" "강원도 원주시 ***" "대구광역시 수성구 ***" ...
$ 도로명전체주소      : chr  "서울특별시 영등포구 ***" "강원도 원주시 ***" "대구광역시 수성구 ***" ...
$ 도로명우편번호      : chr  "07433" "26428" "42170" ...
$ 사업장명           : chr  "참치***" "탁사***" "비담***" ...
$ 최종수정시점        : chr  "20220428131727" "20210621112313" "20211119121545" ...
$ 데이터갱신구분      : chr  "I" "U" "U" ...
$ 데이터갱신일자      : chr  "2022-04-30 00:22:32.0" "2021-06-23 02:40:00.0"
                        "2021-11-21 02:40:00.0" ...
$ 업태구분명         : chr  "일식" "기타" "한식" ...
$ 좌표정보.x.         : chr  "192689.304710674" "284128.414089679"
                        "346586.097961" ...
```

```
$ 좌표정보.y.        : chr  "443959.27209056" "428079.582546297" "261066.095208" ...
$ 위생업태명         : chr  "일식" "기타" "한식" ...
$ 남성종사자수        : chr  "0" "" "2" ...
$ 여성종사자수        : chr  "0" "" "0" ...
$ 영업장주변구분명      : chr  "" "" "아파트지역" ...
$ 등급구분명         : chr  "" "" "" ...
$ 급수시설구분명       : chr  "" "상수도전용" "상수도전용" ...
$ 총종업원수         : chr  "0" "" "0" ...
$ 본사종업원수        : chr  "0" "" "0" ...
$ 공장사무직종업원수     : chr  "0" "" "0" ...
$ 공장판매직종업원수     : chr  "0" "" "0" ...
$ 공장생산직종업원수     : chr  "0" "" "0" ...
$ 건물소유구분명       : chr  "" "" "" ...
$ 보증액           : chr  "0" "" "0" ...
$ 월세액           : chr  "0" "" "0" ...
$ 다중이용업소여부      : chr  "Y" "N" "N" ...
$ 시설총규모         : chr  "143" "10.98" "26.4" ...
$ 전통업소지정번호      : chr  "" "" "" ...
$ 전통업소주된음식      : chr  "" "" "" ...
$ 홈페이지          : chr  "" "" "" ...
$ X             : chr  "" "" "" ...
```

fulldata 데이터프레임은 총 722,440행과 48개의 열로 구성되어 있다. 48개의 열(변
수)은 인허가일자, 영업상태, 사업장명, 소재지주소 등의 일반음식점의 다양한 정보
를 포함하고 있으며, 데이터타입이 전부 문자열(chr) 자료로 되어있다.

⏩ 11.3 전국일반음식점표준데이터 전처리

fulldata 데이터프레임에서 사업장명, 영업상태명, 업태구분명, 인허가일자, 폐업일자, 소재지전체주소 열을 추출하여 새로운 데이터프레임으로 구성한다. 새로운 데이터프레임 이름은 data로 지정한다.

먼저 소재지전체주소를 제외한 사업장명, 영업상태명, 업태구분명, 인허가일자, 폐업일자 열을 추출하여 data 데이터프레임에 저장한다. 그리고 열의 이름을 새로운 변수명으로 변경한다.

```
#일부 열을 추출한 새 데이터프레임 생성 및 변수명 변경
> library(dplyr)
> data <- fulldata %>%
+   select(사업장명, 영업상태명, 업태구분명, 인허가일자, 폐업일자) %>%
+   rename(name=사업장명, condition=영업상태명, category=업태구분명,
+          open_date=인허가일자, close_date=폐업일자)
> head(data)
    name  condition    category open2_date close_date
1   참치**    폐업        일식  20220427   20220428
2   탁사**    폐업        기타  20210122   20210621
3   비담**    폐업        한식  20210115   20211119
4   차이**    폐업        기타  20210115   20210714
5   하오**    폐업        기타  20210115   20210721
6   맛있**    폐업 식육(숯불구이) 20201209   20210609
```

	name	condition	category	open_date	close_date
1	참치	폐업	일식	20220427	20220428
2	탁사	폐업	기타	20210122	20210621
3	비담	폐업	한식	20210115	20211119
4	차이	폐업	기타	20210115	20210714
5	하오	폐업	기타	20210115	20210721
6	맛있	폐업	식육(숯불구이)	20201209	20210609
7	통통	폐업	일식	20201209	20210520
8	퇴근	폐업	한식	20201209	20211202
9	세르	폐업	분식	20201209	20210223
10	카페	폐업	기타	20201209	20210407

소재지전체주소의 데이터를 확인해보면 해당 음식점의 주소 전체가 적혀있는 것을 확인할 수 있다. 데이터 분석 시 전체 주소가 필요하지 않고, 구 단위까지만 필요하기 때문에 필요한 부분만 잘라서 사용한다.

```
#소재지전체주소 상위 6개 데이터 확인
> head(fulldata$소재지전체주소)
[1] "서울특별시 영등포구 신길동 ***"
[2] "강원도 원주시 중앙동 ***"
[3] "대구광역시 수성구 두산동 ***"
[4] "경기도 고양시 덕양구 삼송동 ***"
[5] "대구광역시 달서구 월성동 ***"
[6] "경기도 김포시 풍무동 ***"
```

따라서 소재지전체주소를 도(state), 시(city), 구/군(gu)으로 나눠서 정리한다. 예를 들어, "서울특별시 영등포구 신길동 ***"의 경우에는 구 이하의 주소는 삭제하고, 서울특별시는 city에, 영등포구는 gu에 저장한다. "경기도 고양시 덕양구 삼송동 ***"의 경우에는 경기도를 state에, 고양시는 city에, 덕양구는 gu에 저장하고 이하 주소는 삭제한다.

소재지전체주소 열을 추출하여 새로운 데이터프레임으로 구성한다. 새로운 데이터프레임 이름은 address로 지정한다. 그리고 str_split() 함수를 사용하여 공백을 기준으로 데이터를 분할한다. 도, 시, 구/군, 그 외 주소로 분할하면 변수이름이 각각 X1, X2, X3, X4로 지정되는데, 그 외 주소는 필요 없기 때문에 해당 열을 제외시킨다.

```
#소재지전체주소를 공백단위로 분할(도, 시, 구/군, 그 외)
> library(stringr)
> address <- data.frame(do.call(rbind, str_split(fulldata$소재지전체주소,
        " ", n=4))) %>%
+   select(-X4)
```

	X1	X2	X3
1	서울특별시	영등포구	신길동
2	강원도	원주시	중앙동
3	대구광역시	수성구	두산동
4	경기도	고양시	덕양구
5	대구광역시	달서구	월성동
6	경기도	김포시	풍무동
7	부산광역시	남구	대연동
8	부산광역시	남구	용호동
9	경기도	고양시	덕양구
10	광주광역시	서구	쌍촌동

이제 address 데이터프레임에 저장된 데이터로 도(state), 시(city), 구/군(gu) 열을 정리한다. 먼저 X3열인 구/군(gu)의 경우 X3의 문자열이 '-구', '-군'으로 끝나는 값이어야 한다. 따라서 '-구', '-군'으로 끝나지 않고, '-동', '-가', '-면', '-읍' 등으로 끝나는 경우에는 결측처리를 하도록 조건문을 작성한다. '-구', '-면', '-읍', '-군'과 같이 특정 문자열로 끝나는 값을 찾을 grepl() 함수와 정규표현식($)을 사용한다.

```
#gu 설정 1 - X3가 '구', '군'으로 끝나지 않은 경우 결측처리
> address$X3 <- ifelse(grepl("구|군$", address$X3), address$X3, NA)
```

특정 문자열로 끝나는 값을 찾을 때에는 grep() 함수나 grepl() 함수를 사용한다. 차이점은 grep() 함수의 경우 행 번호를 출력하지만, grepl() 함수는 논리값(TRUE, FALSE)을 출력한다. ifelse() 함수는 조건식의 참 또는 거짓의 값에 따라 설정하므로, grepl() 함수를 사용한다.

```
> ex <- c("Apple", "Banana", "Carrot")
> grep("Banana", ex)
[1] 2
> grepl("Banana", ex)
[1] FALSE  TRUE FALSE
```

특별시와 광역시의 경우 X2열에 각 구의 데이터가 있기 때문에 X2열의 문자열이 '-구' 또는 '-군'으로 끝나는 값이면 X3에 할당시키고, 그렇지 않은 경우 현재 X3열의 값을 유지시키도록 조건문을 작성한다.

```
#gu 설정 2 - X2가 '구', '군'으로 끝나는 경우 X3에 할당
> address$X3 <- ifelse(grepl("구$", address$X2), address$X2, address$X3)
```

이번에는 X2열인 시(city)를 정리해보자. 특별시와 광역시, 세종특별자치시의 경우 X1열에 데이터가 있기 때문에 X1열의 문자열이 '-시'로 끝나는 값이면 X2에 할당시키고, 그렇지 않은 경우 현재 X2열의 값을 유지시키도록 조건문을 작성한다.

```
#city 설정 - X1이 '시'로 끝나는 경우
> address$X2 <- ifelse(grepl("시$", address$X1), address$X1, address$X2)
```

마지막으로 X1열인 도(state)를 정리해보자. 도는 특별시와 광역시, 세종특별자치시를 제외한 경기도, 강원도, 충청북도, 충청남도, 전라북도, 전라남도, 경상북도, 경상남도, 제주특별자치도만 남기고 전부 결측처리를 해야 한다. 따라서 X1열의 문자열이 '-도'로 끝나는 값이면 X1열의 값을 유지시키고, 그렇지 않으면 결측처리를 하도록 조건문을 작성한다.

```
#state 설정 - X1이 '도'로 끝나는 경우
> address$X1 <- ifelse(grepl("도$", address$X1), address$X1, NA)
```

	X1	X2	X3
1	NA	서울특별시	영등포구
2	강원도	원주시	NA
3	NA	대구광역시	수성구
4	경기도	고양시	덕양구
5	NA	대구광역시	달서구
6	경기도	김포시	NA
7	NA	부산광역시	남구
8	NA	부산광역시	남구
9	경기도	고양시	덕양구
10	NA	광주광역시	서구

X1, X2, X3열의 이름을 각각 state, city, gu로 변경한 후 data 데이터프레임과 합쳐준다.

```
#변수명 변경
> address <- address %>% rename(state=X1, city=X2, gu=X3)

#data 데이터프레임과 address 데이터프레임 합치기
> data <- cbind(data, address)
```

	name	condition	category	open_date	close_date	state	city	gu
1	참치	폐업	일식	20220427	20220428	NA	서울특별시	영등포구
2	탁사	폐업	기타	20210122	20210621	강원도	원주시	NA
3	비담	폐업	한식	20210115	20211119	NA	대구광역시	수성구
4	차이	폐업	기타	20210115	20210714	경기도	고양시	덕양구
5	하오	폐업	기타	20210115	20210721	NA	대구광역시	달서구
6	맛있	폐업	식육(숯불구이)	20201209	20210609	경기도	김포시	NA
7	통통	폐업	일식	20201209	20210520	NA	부산광역시	남구
8	퇴근	폐업	한식	20201209	20211202	NA	부산광역시	남구
9	세르	폐업	분식	20201209	20210223	경기도	고양시	덕양구
10	카페	폐업	기타	20201209	20210407	NA	광주광역시	서구

data 데이터프레임에서 2010부터 2019년 사이에 개업한 음식점을 추출한다. 인허가 일자(open_date)는 데이터타입이 문자형(chr)이기 때문에 앞에서 사용한 grepl() 함수와 정규표현식(^)을 사용하여 추출한다. 새로운 데이터프레임 이름은 data1로 지정한다.

```
#2010~2019년에 개업한 음식점 추출
> data1 <- filter(data, grepl('^201', open_date))
```

생성한 data1 데이터프레임을 살펴보면 마지막 부분에 이상한 행이 존재한다. 이 경우 filter() 함수를 이용하여 이상치를 제외시킨다.

188736	통해		영업/정상		한식	20
188737	펀비		영업/정상		호프/통닭	20
188738	위드		영업/정상		호프/통닭	20
188739	1층,11167,용식당,20180608171441,I,2018-08-31 23:59:59.0,...		1층 (선단동),11161,어(魚)시장,20200217193422,U,2020-02-...		101동 107호 (오전동)	2

```
#이상치 제외
> data1 <- data1 %>% filter(condition=="영업/정상" | condition=="폐업")
```

data1 데이터프레임의 속성 및 구조를 살펴보기 위해 str()함수를 사용한다.

```
#data1 데이터프레임 속성 파악
> str(data1)
'data.frame'   : 188732 obs. of  8 variables:
 $ name        : chr  "아라**" "포시**" "영동**" ...
 $ condition   : chr  "폐업" "폐업" "폐업" ...
 $ category    : chr  "외국음식전문점(인도,태국등)" "기타" "한식" ...
 $ open_date   : chr  "20191025" "20190716" "20180103" ...
 $ close_date  : chr  "20210122" "20211201" "20211018" ...
 $ state       : chr  "경상북도" NA NA ...
 $ city        : chr  "칠곡군" "대구광역시" "인천광역시" ...
 $ gu          : chr  "칠곡군" "달성군" "중구" ...
```

data1 데이터프레임은 총 188,732행과 8개의 열로 구성되어 있다. 8개의 열(변수)은
사업장명, 영업상태명, 업태구분명, 인허가일자, 폐업일자, 소재지주소 도, 시, 구/군
이며, 일반 음식점의 기본 정보를 포함하고 있다. 그리고 데이터타입이 전부 문자열
(chr) 자료로 되어있다.

```
11_3_전체_코딩.R
##전국일반음식점표준데이터 전처리

#전국일반음식점표준데이터 fulldata_07_24_04_P.csv 불러오기
fulldata <- read.csv("fulldata_07_24_04_P.csv")

#일부 열을 추출한 새 데이터프레임 생성 및 변수명 변경
library(dplyr)
data <- fulldata %>%
   select(사업장명, 영업상태명, 업태구분명, 인허가일자, 폐업일자) %>%
   rename(name=사업장명, condition=영업상태명, category=업태구분명,
        open_date=인허가일자, close_date=폐업일자)
```

```r
#소재지전체주소를 공백단위로 분할(도, 시, 구/군, 그 외)
library(stringr)
address <- data.frame(do.call(rbind,
                str_split(fulldata$소재지전체주소, " ", n=4))) %>%
  select(-X4)

#gu 설정 1 - X3가 '구', '군'으로 끝나지 않은 경우 결측처리
address$X3 <- ifelse(grepl("구|군$", address$X3), address$X3, NA)

#gu 설정 2 - X2가 '구', '군'으로 끝나는 경우 X3에 할당
address$X3 <- ifelse(grepl("구$", address$X2), address$X2, address$X3)

#city 설정 - X1이 '시'로 끝나는 경우
address$X2 <- ifelse(grepl("시$", address$X1), address$X1, address$X2)

#state 설정 - X1이 '도'로 끝나는 경우
address$X1 <- ifelse(grepl("도$", address$X1), address$X1, NA)

#변수명 변경
address <- address %>% rename(state=X1, city=X2, gu=X3)

#data 데이터프레임과 address 데이터프레임 합치기
data <- cbind(data, address)

#2010~2019년에 개업한 음식점 추출
data1 <- filter(data, grepl('^201', open_date))

#이상치 제외
data1 <- data1 %>% filter(condition == "영업/정상" | condition == "폐업")
```

▸▸ 11.4 　전국일반음식점표준데이터 분석

11.3절에서 생성한 전국 일반 음식점 데이터를 이용하여 2010~2019년 동안 오픈한 '음식점 업종'에 따른 '영업상태(영업/폐업)'의 관계를 파악해보자.

11.4.1 전국일반음식점표준데이터 전국 통계

전국일반음식점표준데이터에서 분류한 음식점 업종은 감성주점, 경양식, 김밥(도시락), 까페, 냉면집, 라이브카페, 복어취급, 분식, 뷔페식, 식육(숯불구이), 외국음식전문점(인도, 태국 등), 이동조리, 일식, 전통찻집, 정종/대포집/소주방, 중국식, 출장조리, 커피숍, 키즈카페, 탕류(보신용), 통닭(치킨), 패밀리레스토랑, 패스트푸드, 한식, 호프/통닭, 횟집, 기타로 총 27개이다. 그렇다면 전국 음식점 중에서 2010년부터 2019년 동안 가장 많이 오픈한 음식점의 상위 업종 10개는 무엇일까?

먼저 전국 음식점 중에서 영업상태(condition)가 '영업/정상' 중인 음식점들을 filter() 함수를 사용하여 추출한다. 그리고 group_by() 함수를 사용하여 업종(category)별로 그룹화를 한다.

그룹화를 하고 영업 중인 음식점 업종을 distinct() 함수를 사용하여 중복을 제거한 후 오름차순 정렬하여 확인해보면 결측치(NA)가 아닌 비어있는 값이 포함된 것을 확인할 수 있다.

```
> data1 %>%
+ filter(condition == "영업/정상") %>%
+ distinct(category) %>%
+ arrange(category)
           category
1
```

2	감성주점	
3	경양식	
⋮	⋮	

비어있는 값이 포함되지 않도록 filter() 함수를 사용하여 영업 중인 음식점들을 추출할 때 조건식에 업종(category)이 비어있는 값은 포함시키지 않도록 조건을 추가한다.

업종(category)별로 그룹화를 한 후, 그 그룹별로 음식점의 개수를 구한다. n() 함수를 사용하면 빈도수를 구할 수 있는데, 기본적으로 오름차순 정렬이 된다. 여기에서는 어떤 '업종'이 영업 빈도수가 높은지 알아보는 것이기 때문에 빈도수를 내림차순으로 정렬하면 가장 많은 업종이 우선 정렬되게 된다. 그 중 상위 10개의 업종만을 확인할 것이기 때문에 head() 함수를 사용하여 상위 10개 데이터를 추출한다.

```
#2010-2019년 동안 가장 많이 오픈한 전국 음식점의 상위 업종 10위
> open_top10 <- data1 %>%
+   filter(condition=="영업/정상" & !category=="") %>%
+   group_by(category) %>%
+   summarise(n=n()) %>%
+   arrange(desc(n)) %>%
+   head(10)
```

	category	n
1	한식	25929
2	기타	7647
3	호프/통닭	6460
4	식육(숯불구이)	3696
5	분식	3407
6	경양식	2887
7	중국식	2030
8	일식	1890
9	정종/대포집/소주방	1579
10	통닭(치킨)	1187

2010년부터 2019년 동안 가장 많이 오픈한 전국 음식점의 상위 업종 1위는 한식이었다. 기타 업종, 호프/통닭, 식육(숯불구이), 분식 등의 업종이 그 뒤를 이었다.

open_top10 데이터프레임의 데이터로 그래프를 그려보자. ggplot() 함수를 사용하여 막대그래프를 그린다. 막대그래프를 그릴 때에는 geom_bar() 함수나 geom_col() 함수를 사용하면 되는데, 두 함수의 차이점은 geom_bar() 함수는 x축만 설정하고 y축은 해당 데이터의 수량을 사용하며, geom_col() 함수는 x, y축을 모두 설정해야 한다.

ggplot() 함수를 사용하기 위해 ggplot2 패키지를 로드하고, x축은 업종(category), y축은 음식점 수(n)를 설정한 후 geom_col() 함수를 사용하여 막대그래프를 그린다.

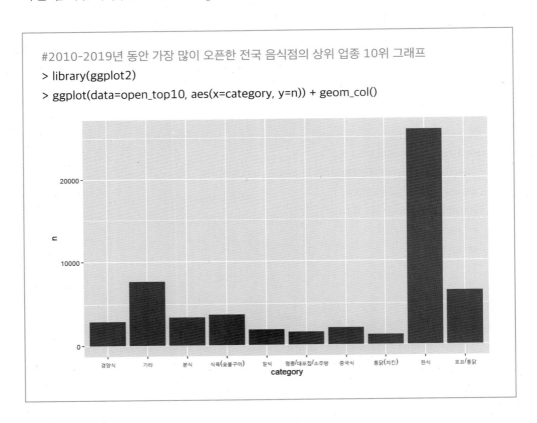

```
#2010-2019년 동안 가장 많이 오픈한 전국 음식점의 상위 업종 10위 그래프
> library(ggplot2)
> ggplot(data=open_top10, aes(x=category, y=n)) + geom_col()
```

막대그래프를 그리고 보니 막대의 순서가 open_top10 데이터프레임의 순서대로가 아닌 x축의 업종명(category)으로 오름차순 정렬이 되어있다. 이때에는 x축을 설정할 때 재정렬을 해줘야 한다. reorder() 함수는 막대그래프를 크기순으로 정렬할 수 있다.

---

reorder(x, …)

---

reorder() 함수 사용법은 x에 x축 변수를 적고, 그 다음 정렬 기준이 되는 변수를 적어준다. 정렬 기준이 되는 변수는 그냥 적으면 오름차순, −기호를 붙이면 내림차순으로 정렬된다. 음식점 수(n)가 많을수록 가장 먼저 위치해야 하므로 내림차순 정렬을 해야 한다.

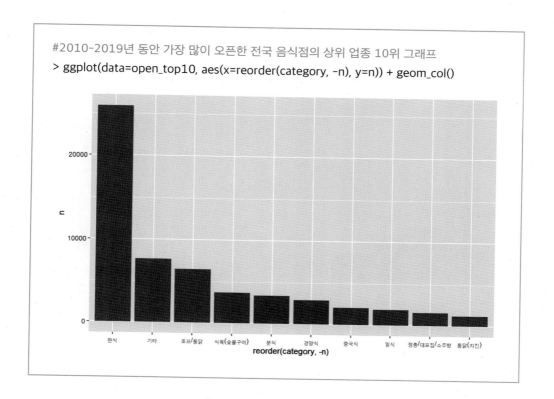

#2010-2019년 동안 가장 많이 오픈한 전국 음식점의 상위 업종 10위 그래프
> ggplot(data=open_top10, aes(x=reorder(category, -n), y=n)) + geom_col()

이번에는 그래프를 꾸며보자. fill() 함수를 사용하여 그래프의 막대 색을 업종별로 변경시켜 구분되게 한다. 색을 추가하면 자동으로 범례가 오른쪽에 추가된다. 그리고 xlab() 함수와 ylab() 함수를 사용하여 x축과 y축의 이름을 변경하고, ggtitle() 함수를 사용하여 그래프 제목을 추가한다. 그래프 제목 위치는 기본적으로 왼쪽 정렬이다. 가운데 정렬이나 오른쪽 정렬로 변경할 때는 theme() 함수와 element_text() 함수를 이용하는데, element_text() 함수의 hjust 인자에 0~1사이 값을 입력하면 된다. (0 : 왼쪽 정렬(기본), 0.5 : 가운데 정렬, 1 : 오른쪽 정렬)

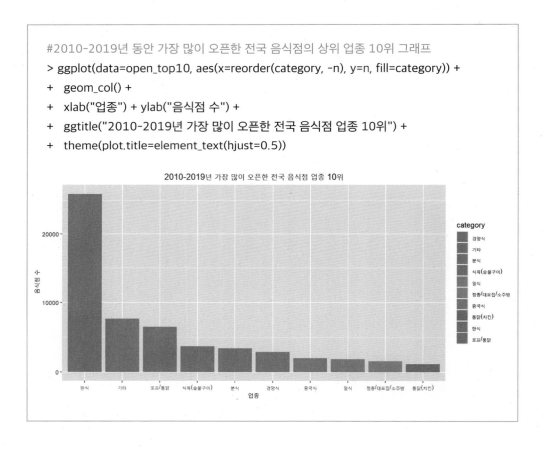

```
#2010-2019년 동안 가장 많이 오픈한 전국 음식점의 상위 업종 10위 그래프
> ggplot(data=open_top10, aes(x=reorder(category, -n), y=n, fill=category)) +
+   geom_col() +
+   xlab("업종") + ylab("음식점 수") +
+   ggtitle("2010-2019년 가장 많이 오픈한 전국 음식점 업종 10위") +
+   theme(plot.title=element_text(hjust=0.5))
```

위의 그래프를 보면 업종명이 긴 경우에는 그래프를 작게 했을 때 옆의 항목과 겹치는 경우가 있다. 이와 같이 데이터의 이름이 긴 경우에는 세로 막대그래프보다 가로 막대그래프가 더 적합하다. 가로 막대그래프를 그리려면 x인수와 y인수를 서로 바꿔주는 방법도 있지만, 현재의 그래프에서 coord_flip() 함수를 추가하면 막대를 회전시켜 가로 막대그래프로 쉽게 그릴 수 있다. coord_flip() 함수를 사용하기 전에 x축의 reorder() 함수의 정렬 기준 변수를 오름차순으로 변경한 후 사용한다.

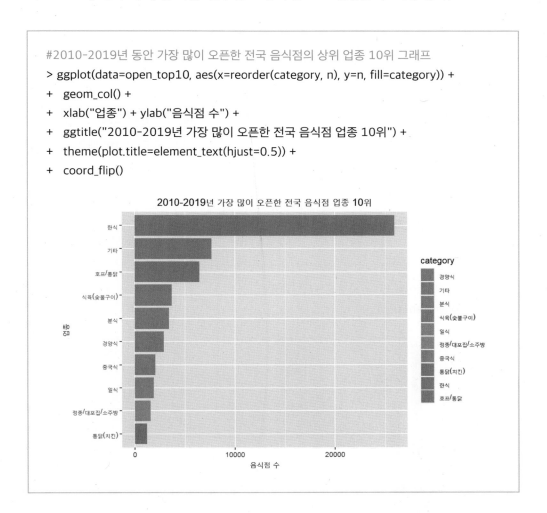

```
#open_top10 데이터프레임의 요약통계량
> summary(open_top10)
   category          n
 Length:10       Min.   : 1187
 Class :character  1st Qu.: 1925
 Mode  :character  Median : 3147
                   Mean   : 5671
                   3rd Qu.: 5769
                   Max.   :25929
```

위의 그래프와 open_top10 데이터프레임의 요약통계량을 확인해보면 2010~2019년 동안 오픈한 상위 10개 업종 중 가장 많은 업종(Max.)은 한식으로 25,929개의 음식점이 오픈했다. 10번째로 많은 업종(Min.)은 통닭(치킨)으로 1,187개의 음식점이 오픈했다. 상위 10개 업종은 평균(Mean)적으로 5,671개의 음식점을 오픈했으며, 음식점의 개수가 1,187~1,925 구간에 몰려있는 것으로 보아 대부분의 업종들이 1,187~1,925개 정도의 음식점을 오픈하고 있다.

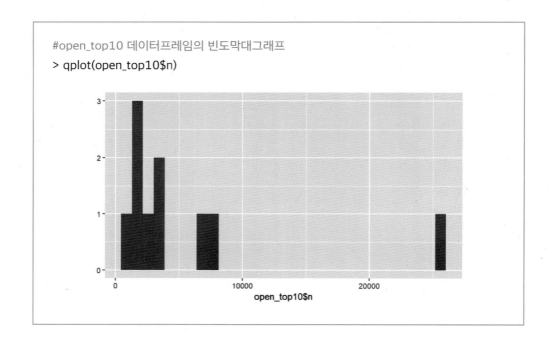

```
#open_top10 데이터프레임의 빈도막대그래프
> qplot(open_top10$n)
```

11.4.2 전국일반음식점표준데이터 서울특별시 통계

이번에는 서울특별시의 각 구 중에서 2010년부터 2019년 동안 가장 많이 음식점을 오픈한 곳과 각 구별로 영업과 폐업 수를 확인해보자.

11.4.2.1 2010-2019년 동안 서울에서 가장 많이 음식점을 오픈한 지역 분석

먼저 전국 음식점 중에서 시(city)가 '서울특별시'이면서 영업상태(condition)가 '영업/정상' 중인 모든 음식점들을 filter() 함수를 사용하여 추출한다. 그리고 group_by() 함수를 사용하여 구(gu)별로 그룹화를 한다. 그리고 n() 함수를 사용하여 그룹별로 음식점의 개수를 구한 후 내림차순으로 정렬하여 가장 많은 구가 우선 정렬되도록 한다.

```
#2010-2019년 동안 서울에서 가장 많이 음식점을 오픈한 곳
> seoul_open_top <- data1 %>%
+   filter(city=="서울특별시" & condition=="영업/정상") %>%
+   group_by(gu) %>%
+   summarise(n=n()) %>%
+   arrange(desc(n))
```

	gu	n
1	마포구	3141
2	구로구	1166
3	강남구	821
4	동대문구	546
5	강서구	435
6	강북구	280
7	종로구	213
8	광진구	212
9	노원구	178
10	송파구	151

	gu	n
10	송파구	151
11	강동구	144
12	도봉구	116
13	영등포구	109
14	관악구	99
15	중구	98
16	서초구	97
17	용산구	91
18	성동구	87
19	은평구	85
20	동작구	79

	gu	n
20	동작구	79
21	양천구	75
22	서대문구	71
23	성북구	60
24	중랑구	60
25	금천구	48

seoul_open_top 데이터프레임의 데이터로 그래프를 그려보자. x축은 구(gu), y축은 음식점 수(n)를 설정한 후 geom_col() 함수를 사용하여 막대그래프를 그린다. 가로 막대그래프로 변경할 것이기 때문에 reorder() 함수를 사용하여 음식점 수(n)를 기준으로 정렬하되 오름차순 정렬을 한다.

fill() 함수를 사용하여 그래프의 막대 색을 구 별로 변경시켜 구분되게 하고, xlab() 함수와 ylab() 함수를 사용하여 x축과 y축의 이름을 변경하고, ggtitle() 함수를 사용하여 그래프 제목을 추가한 후 가운데 정렬을 한다.

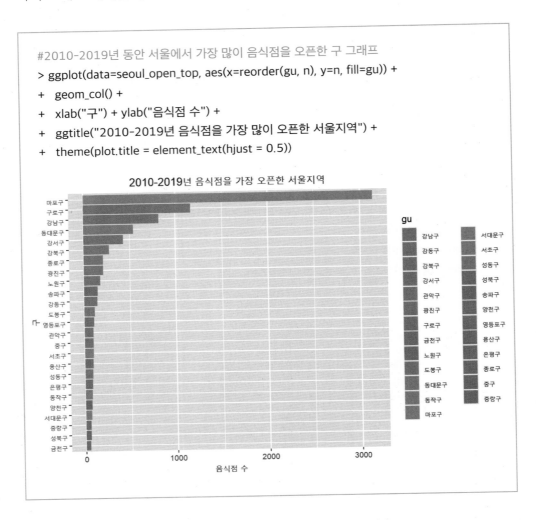

```
#seoul_open_top 데이터프레임의 요약통계량
> summary(seoul_open_top)
     gu               n
 Length:25        Min.   :  48.0
 Class :character  1st Qu.:  85.0
 Mode  :character  Median : 109.0
                   Mean   : 338.5
                   3rd Qu.: 213.0
                   Max.   :3141.0
```

위의 그래프와 seoul_open_top 데이터프레임의 요약통계량을 확인해보면 2010~2019년 동안 서울시의 지역 중에서 음식점이 가장 많이 오픈한 곳(Max.)은 마포구로 3,141개의 음식점이 오픈했다. 가장 적게 오픈한 곳(Min.)은 금천구로 48개의 음식점이 오픈했다. 서울시전 지역은 평균(Mean)적으로 338.5개의 음식점을 오픈 했으며, 음식점의 개수가 85~109 구간에 몰려있는 것으로 보아 대부분의 지역에서 85~109개 정도의 음식점을 오픈하고 있다.

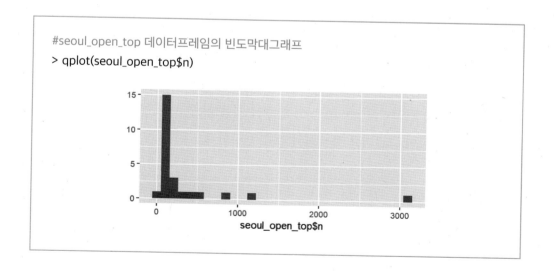

```
#seoul_open_top 데이터프레임의 빈도막대그래프
> qplot(seoul_open_top$n)
```

11.4.2.2 2010-2019년 동안 서울지역의 음식점 영업/폐업 수 분석

이번에는 서울특별시의 각 구에서 영업 중인 음식점과 폐업한 음식점의 수를 확인해 보자.

먼저 서울의 영업 중인 음식점만 추출하여 새로운 데이터프레임을 생성한다. 새로운 데이터프레임 이름은 seoul_open로 지정한다. 전국 음식점 중에서 시(city)가 '서울특별시'이면서 영업상태(condition)가 '영업/정상' 중인 모든 음식점들을 filter() 함수를 사용하여 추출한다. 그리고 group_by() 함수를 사용하여 구(gu)별로 그룹화를 하고, n() 함수를 사용하여 그룹별로 음식점의 개수를 구한다.

```
#서울특별시에서 영업 중인 음식점의 수
> seoul_open <- data1 %>%
+   filter(city=="서울특별시" & condition=="영업/정상") %>%
+   group_by(gu) %>%
+   summarise(n=n())
```

이번에는 서울에서 폐업한 음식점만 추출하여 새로운 데이터프레임을 생성한다. 새로운 데이터프레임 이름은 seoul_close로 지정한다. 전국 음식점 중에서 시(city)가 '서울특별시'이면서 영업상태(condition)가 '폐업'인 모든 음식점들을 filter() 함수를 사용하여 추출한다. 그리고 group_by() 함수를 사용하여 구(gu)별로 그룹화를 하고, n() 함수를 사용하여 그룹별로 음식점의 개수를 구한다.

```
#서울특별시에서 폐업한 음식점의 수
> seoul_close <- data1 %>%
+   filter(city=="서울특별시" & condition=="폐업") %>%
+   group_by(gu) %>%
+   summarise(n=n())
```

seoul_open 데이터프레임과 seoul_close 데이터프레임을 구(gu)를 기준으로 합쳐 새로운 seoul 데이터프레임을 생성한다. 이때, seoul_open 데이터프레임과 seoul_close 데이터프레임의 음식점의 개수(n)의 변수명이 둘 다 n으로 같으므로 영업 중인 음식점의 개수는 n.x로, 폐업한 음식점의 개수는 n.y로 자동 지정된다. n.x와 n.y는 각각 영업과 폐업으로 변수명을 한글로 변경해준다.

```
#seoul_open 데이터프레임과 seoul_close 데이터프레임 합치기
> seoul <- left_join(seoul_open, seoul_close, by="gu") %>%
+   rename(영업=n.x, 폐업=n.y)
```

	gu	영업	폐업
1	강남구	821	560
2	강동구	144	132
3	강북구	280	82
4	강서구	435	232
5	관악구	99	156
6	광진구	212	151
7	구로구	1166	1347
8	금천구	48	80
9	노원구	178	96
10	도봉구	116	75

이번에 그릴 그래프는 서울특별시의 각 구별로 영업 중인 음식점의 수와 폐업한 음식점의 수가 동시에 출력되어야 한다. 지금까지 그렸던 그래프의 경우 y축이 1개였는데, 이번에는 y축이 영업과 폐업, 즉 2개가 되는 것이다. 이 경우 그룹별 막대를 옆에 나란히 붙여서(side-by-side) 출력되도록 설정해야 한다.

seoul 데이터프레임에는 영업 개수와 폐업 개수가 각각 저장되어 있다. 막대그래프를 나란히 붙여서 출력되도록 하려면 구별로 영업상태(영업/폐업)별 개수가 있어야 하므로 자료의 형식을 바꾸어야 한다. 이를 위해서 reshape2 패키지의 melt() 함수를 사용한다.

melt() 함수는 옆으로 길게 나열되어있는(wide format) 데이터를 아래로 길게 이어는 (long format) 데이터로 바꿔주는 기능을 한다.

```
melt(data, ..., na.rm=FALSE, value.name = "value")
```

melt() 함수 사용법은 data에 변경할 데이터프레임명을 적고, id.vars를 이용하여 기준이 되는 변수를 적으면 된다. 다른 옵션들은 생략 가능하다.

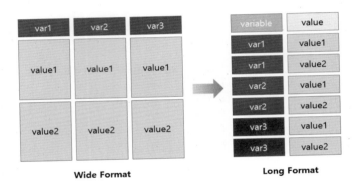

Wide Format과 Long Format

```
#seoul 데이터프레임 데이터 형태 변경
> install.packages("reshape2")
> library(reshape2)
> seoul <- melt(seoul, id.vars = 'gu') %>% arrange(gu)
```

	gu	variable	value
1	강남구	영업	821
2	강남구	폐업	560
3	강동구	영업	144
4	강동구	폐업	132
5	강북구	영업	280
6	강북구	폐업	82
7	강서구	영업	435
8	강서구	폐업	232
9	관악구	영업	99
10	관악구	폐업	156

seoul 데이터프레임의 데이터로 그래프를 그려보자. x축은 구(gu), y축은 음식점 수(value)를 설정한 후 fill() 함수를 사용하여 영업상태(variable)별로 다른 색을 설정한다. 음식점의 개수가 많은 순으로 출력하기 위해 reorder() 함수를 사용하여 음식점 수(value)를 기준으로 내림차순 정렬을 한다.

그리고 geom_bar() 함수를 사용하여 막대그래프를 그린다. side-by-side 형태로 막대를 그리기 위해서는 geom_bar() 함수에서 position에 dodge를 설정한다. position은 막대의 위치를 의미한다. dodge는 복수의 데이터를 독립적인 막대그래프로 나란히 출력할 때 사용한다. 나란히 표시할 막대의 데이터는 구분하기 위해 fill() 또는 color() 함수를 이용해 색을 다르게 설정한다.

geom_bar() 함수의 stat은 '통계'의 뜻을 가진 'Statistic'의 약자로, 막대그래프의 형태를 설정할 때 사용한다. identity는 y축 값의 높이를 데이터를 기반으로 설정할 때 사용하는 것으로, y축의 높이를 데이터의 값으로 하는 막대그래프의 형태로 설정한다는 것을 의미한다.

#2010-2019년 서울지역 음식점 영업/폐업 현황 그래프
```
> ggplot(seoul1, aes(x=reorder(gu, -value), y=value, fill=variable)) +
+   geom_bar(position = "dodge", stat = "identity") +
+   xlab("구") + ylab("음식점 수") +
+   ggtitle("2010-2019년 서울지역 음식점 영업/폐업 현황") +
+   theme(plot.title = element_text(hjust = 0.5))
```

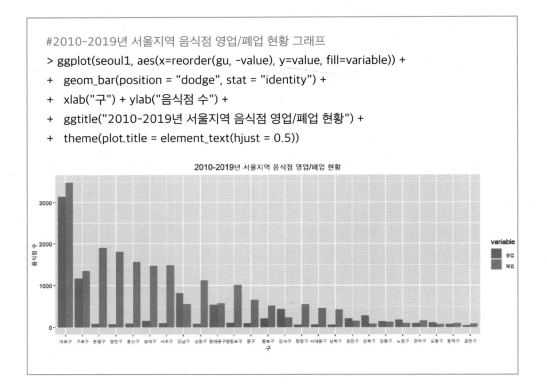

11_4_전체_코딩.R
##11.4 전국일반음식점표준데이터 분석

##11.4.1 전국일반음식점표준데이터 전국 통계

#2010-2019년 동안 가장 많이 오픈한 전국 음식점의 상위 업종 10위
```
open_top10 <- data1 %>%
    filter(condition == "영업/정상" & !category == "") %>%
    group_by(category) %>%
    summarise(n=n()) %>%
    arrange(desc(n)) %>%
    head(10)
```

```
#2010-2019년 동안 가장 많이 오픈한 전국 음식점의 상위 업종 10위 그래프
library(ggplot2)
ggplot(data=open_top10, aes(x=reorder(category, n),
                    y=n, fill=category)) +
  geom_col() +
  xlab("업종") + ylab("음식점 수") +
  ggtitle("2010-2019년 가장 많이 오픈한 전국 음식점 업종 10위") +
  theme(plot.title = element_text(hjust = 0.5)) +
  coord_flip()
```

##11.4.2 전국일반음식점표준데이터 서울특별시 통계

##11.4.2.1 2010-2019년 동안 서울에서 가장 많이 음식점을 오픈한 지역 분석
```
#2010-2019년 동안 서울에서 가장 많이 음식점을 오픈한 곳
seoul_open_top <- data1 %>%
  filter(city == "서울특별시" & condition == "영업/정상") %>%
  group_by(gu) %>%
  summarise(n=n()) %>%
  arrange(desc(n))
```

INDEX

9%	101
!is.na()	155
1st Qu	090
1사분위수	090
3rd Qu	090
3사분위수	090

A

abs	046, 050
arrange	101
arrange()	113
as_Spatial() 함수	253
as_tibble()	219
attributes()	083, 090

B

bind_rows	101
bind_rows()	141
boxplot	171
boxplot()	187

C

c()	041
cat()	034, 067, 074
ceiling	046, 049
complete.cases()	156
count()	225

D

data.frame()	035
dim()	083, 088
dplyr	076, 092, 101

E

Encoding	248
extractNoun()	235

F

factorial	046, 050
file.choose()	247
filter	101
filter()	101, 159
filter(str_count())	226
first	126
floor	046, 049
font_add_google()	231
for()	063
fortify() 함수	255

G

geom_bar()	193
geom_boxplot()	207
geom_line()	202
geom_point()	193, 197
geom_segment()	193

geom_text_wordcloud()   230
ggplot2   076
ggplot2()   193
goem_boxplot()   193
goem_line()   193
grepl   050, 051
group_by   101
group_by()   136
gsub   050
gsub()   052

H

head()   083, 084, 095
head(shp_df)   258
hist()   183

I

if()   065, 073
if ∼ else   055
ifelse()   059
if ∼ else if   058
install.packages   075
interactive   279
is.na()   150

L

last   126

left_join   101
left_join()   141
library   075, 092
log   046, 050

M

max   046, 050, 126
Max   090
mean   046, 050, 126
Mean   090
median   126
Median   090
melt() 함수   322
min   046, 050, 126
Min   090
mutate   101
mutate()   118

N

n()   126
NA   149
names()   083, 090
na.omit()   158
na.rm = T   163
nchar   050, 051
n_distinct   126
nth   126

P

paste	050, 051
pie()	186
plot()	184
plyr	076
print()	034
prod	046, 049
Projected CRS	254

Q

qplot()	181

R

read.csv()	033, 036, 095
readLines()	216
rename()	092, 093
reshape	076
reshape2	076
round	046, 049
R프로그램	003

S

scale_fill_viridis() 함수	277
scan()	032
sd	126
select	101
select()	108

seq()	042
sf 패키지	246
sqrt	046, 050
str()	083, 088
str_detect() 함수	263
str_replace_all()	216, 217
strsplit	050
strsplit()	052
str_squish()	218
substring	050
substring()	052
sum	046, 050, 126
summarise	101
summarise()	126
summary()	083, 089, 090, 153
switch()	062

T

table()	151
tail()	083, 085
tolower	050, 051
toupper	050, 051
trunc	046, 049

U

unset_tokens()	221

V

View()   083, 087

viridis 패키지   276

W

wordcloud   076

ㄱ

결측 데이터   030

결측치   149, 167

결합   101

공공데이터포털   297

그래프   181

그룹화   101

기본함수   041

ㄴ

논리 연산자   054

논리형   030

ㄷ

단계구분도   267

데이터 가공   101

데이터 결합   141

데이터 그룹화   136

데이터 변형   118

데이터 요약   126

데이터 정렬   113

데이터 추출   101

데이터 파악   083

데이터프레임   032, 035

ㄹ

롤리팝 그래프   193

ㅁ

막대 그래프   193

문자 함수   050

문자형   030

ㅂ

반정형 데이터   029

변수   029

변수명 변경   092

변형   101

분석   101

비교 연산자   053

비정형 데이터   029

ㅅ

상자 그래프   193

선 그래프   193

수학 함수   046

숫자형   030

ㅇ

요약	101
이상치	171
이상치 처리	172
이상치 확인	172
인터렉티브	279
입력	032

ㅈ

자료형	030
점 그래프	193
정렬	101
정형 데이터	029
조건문	055
중앙값	090

ㅊ

최댓값	090
최솟값	090
출력	034

ㅌ

텍스트 마이닝	215
투영 좌표계	254

ㅍ

파생변수 생성	094

파이프연산자	101
패키지	075
평균	090

ㅎ

한글 인코딩	248
함수	041